La familia de Pascual Duarte

Contemporánea
Narrativa

CAMILO JOSÉ CELA

LA FAMILIA DE PASCUAL DUARTE

Introducción de Adolfo Sotelo

AUSTRAL

DESTINO

Esta edición dispone de recursos pedagógicos en www.planetalector.com

© Herederos de Camilo José Cela, 1942
© Ediciones Destino, S. A., 2012
    Avinguda Diagonal, 662, 6.ª planta. 08034 Barcelona (España)
    www.edestino.es
    www.planetadelibros.com

Diseño de la colección: Compañía
Ilustración de la cubierta: © Danilo Ducak / Shutterstock
Primera edición en esta presentación en Austral: julio de 2010
Segunda impresión: marzo de 2011
Tercera impresión: junio de 2011
Cuarta impresión: marzo de 2012

Depósito legal: B. 25.089-2011
ISBN: 978-84-233-4278-5
Impreso y encuadernado en Barcelona por:
Printed in Spain - Impreso en España

Biografía

Camilo José Cela nació en Iria Flavia (La Coruña) el 11 de
mayo de 1916. Años más tarde y ya en Madrid, estudia
Medicina, Literatura y Derecho. Escribe poemas y algunos
artículos, aunque el éxito no le llegará hasta 1942, con la
publicación de *La familia de Pascual Duarte*. Su extensa
producción literaria abarca todos los géneros: poesía, novela,
libros de viajes y costumbres, relatos y memorias. Obras
como *La colmena*, *Viaje a la Alcarria*, *Oficio de tinieblas 5* o
Mazurca para dos muertos han hecho de Cela uno de los
principales escritores del siglo xx. Ingresó en 1957 en la Real
Academia. En 1987 obtuvo el Premio Príncipe de Asturias
de las Letras, en 1989 le fue otorgado el Premio Nobel de
Literatura y en 1995 el Premio Cervantes. Murió en Madrid
en 2002.

ÍNDICE

INTRODUCCIÓN

A la memoria de don Américo Castro

Llevó su imaginación inmediatamente, con melancolía, hacia las tierras de España, a aquella *nave de los locos,* desgarrada, sangrienta, zarrapastrosa y pobre que era su país.

PÍO BAROJA, 1925

CAUTELOSO TIENTO SOBRE LA PERSONALIDAD
DEL JOVEN CAMILO JOSÉ CELA

Camilo es otro caso de orgullo. Le hieren, y salen en él un tozudo caballerazo celta que prefiere desangrarse a dar una explicación que supone indebida.

CÉSAR GONZÁLEZ RUANO, 1952

«En España —escribe Cela en *Desde el palomar de Hita* (1991)—, según las cuentas del amigo Catulineo Jabalón Cenizo, el de doña Pura, hay siete Pascuales Duarte y once Camilos Celas y nos pongamos como nos pongamos no nos toca sino conllevarnos con paciencia los unos con los otros. Se supone que están todos vivos o al menos ése es el mejor deseo del cronista, y citados por el orden del calendario son los que se pasa a decir» [1]. No vamos a dar aquí la lista, porque el inmortal Pascual de la novela de 1942 no puede, lógicamente, aparecer y seguramente de la nómina sólo nos interesa «Camilo José Cela Trulock, el afamado novelista, natural de Iria Flavia, Padrón, La Coruña, nacido el 11 de mayo de 1916» [2].

Con motivo de la publicación de LA FAMILIA DE PASCUAL DUARTE (Madrid, Aldecoa, 1941) un escritor diestro en la imaginación, la originalidad y la audacia, que había descubierto para el público de *El Sol,* en los últimos años de la Dictadura de Primo de Rivera, mediante una sección rotulada «Visitas Literarias», a multitud de nombres señeros del mundo cultural, revela la personalidad de Cela. El escritor que fue el alma de *La Gaceta Literaria,* que se hizo falangista de toda la vida y que se proclamó, desde *Genio de España* (1932), «nieto del 98», tuvo el atinado ojo crítico de manifestar a los lectores de la posguerra el talento del autor del *Pascual.* Ernesto Giménez Caballero llevó a cabo esta operación desde el número uno de *Lazarillo,* publicación salmantina del año 1943. Con la habitual forma de entrevista que había utilizado en las «Visitas Literarias» (1925-1928), se puso cara a cara con Cela y le pidió que le contase su vida:

> En pocos rasgos me contó su vida. Había nacido en Padrón (la vieja Iria Flavia). Pero tenía, además de sangre gallega, mezclas inglesas e italianas. Estuvo muy enfermo del pecho cuando nuestra guerra. Medio derrengado, se pasó un día a las líneas nacionales desde su zona roja. Por su enfermedad no le admitieron en una bandera de Falange para ir al frente. Y se las arregló de modo que se enroló en la Legión a ver si le pegaban un tiro. No le pegaron un tiro. Pero vivió la dureza del legionario, por tierras extremeñas. Licenciado tras

---

[1]   CJC, «Marcas y patentes (Primera parte)», *Desde el palomar de Hita,* Barcelona, Plaza & Janés, 1991, pág. 130.
[2]   *Ibídem,* pág. 133.

la guerra, estando en una oficinilla del pueblo, se le ocurrió utilizar el cuaderno de cuentas para escribir las hazañas de *Pascual Duarte y su familia*. Le salió un breve libro. Una novela autobiográfica que nadie quiso publicar. Por fin la imprimió en Burgos con pocos ejemplares, que regalaba a los amigos.

Estaba muy pálido. Acababa de hacer en un sanatorio una larga cura de reposo. Y sin embargo, mientras me hablaba, no dejaba de fumar y beber anís. Como si aún estuviese en la Legión[3].

En el lacónico y brillante recordatorio de Giménez Caballero hay, sin embargo, algunos olvidos e imprecisiones que pueden interesar al lector que viaje por este cauteloso tiento. Excuso decir que dos excepcionales libros autobiográficos dan cumplida cuenta de la andadura vital de Cela, desde sus días infantiles a su primera novela. Son *La rosa* (Barcelona, Destino, 1959) y *Memorias, entendimientos y voluntades* (Barcelona, Plaza & Janés, 1993) que esperan, para el placer del lector, continuación.

Hasta los nueve años el niño Camilo José vive en diversos lugares de la geografía española, y aunque las señas de identidad de los caracteres nacionales estén un poco *demodés,* quiero creer —se debe creer— barajando su universo narrativo con las raíces de su lenguaje literario que el alma gallega —de la clásica Iria Flavia o del vetusto pero cosmopolita Tuy— late en la urdimbre última de todo su quehacer. En Vigo (la casa paterna estaba al otro lado de la ría, en Cangas) fue colegial, primero en las monjas de Saint Joseph de Cluny y después en los jesuitas de Bellas Vistas, colegio del que le echaron y que en sus memorias le permite el siguiente estrambote:

---

[3]   Ernesto Giménez Caballero, «Lazarillo se ha levantado y anda otra vez», reproducido en «Vagabundeo por la picaresca», *La Picaresca. Orígenes, Textos y Estructuras* (ed. Manuel Criado de Val), Madrid, Fundación Universitaria Española, 1979, pág. 939.

Quisiera aclarar, antes de poner punto a este trance, que eso que se dice de que la Compañía de Jesús es muy agradecida no es verdad, porque a mí me echaron del colegio, sí, pero a la abuela —y yo era su nieto preferido— no le devolvieron el retablo de la capilla, que había sido regalo suyo[4].

En 1925 la familia de Camilo José Cela se instala en Madrid. Asiste al colegio de los escolapios de la calle del General Porlier y se examina de ingreso en el bachillerato en el instituto Cardenal Cisneros (caserón que se abría a la calle de San Bernardo y que quien esto escribe recuerda por un similar examen de ingreso, celebrado siete lustros después). Pocos meses anduvo Camilo José entre los escolapios, quienes le echaron por un sucedido que cuenta en sus memorias:

De este colegio me expulsaron por indócil, según le dijeron a mi padre. El P. Cirilo, que lo más probable es que fuera maricón porque se pasaba el tiempo palpando a los niños gorditos, yo libraba porque era un puro hueso escuálido, me preguntó cuál era el cuadrado de nueve y yo, que no me había dado cuenta de que ya no estábamos en geografía sino en matemáticas, en vez de decirle ochenta y una, le dije río Duero y, claro es, no acerté. Entonces el P. Cirilo me tiró un libro, y no me dio, y yo le tiré un compás y sí le di. El P. Cirilo bajó de su estrado hecho un basilisco y me dio tal sarta de bofetadas que me hizo sangrar por la nariz[5].

---

[4] CJC, «Vaivén del tiempo y otra vez Vigo», *Memorias, entendimientos y voluntades,* Barcelona, Plaza & Janés, 1993, pág. 22. La referencia más sintética a los años de colegial procede —¡cómo no!— de su pluma: «Fui educado en los jesuitas, en los escolapios y en los maristas, y mi sensibilidad —gracias a todos estos buenos señores— se formó en medio de la calle» [«Autopresentación», Suplemento Literario de *El Argentino* (30 de septiembre de 1935), *Obras Completas,* Barcelona, Destino, 1973, t. I, pág. 532].
[5] CJC, «Otro colegio y las primeras confusiones», *Memorias, entendimientos y voluntades,* págs. 31-32. En otro momento de las *Memorias* («Mis últimas andanzas en pantalón corto») exclama ante el recuerdo de los padres escolapios: «¡Qué fauna hirsuta, maleducada y ruin!» (pág. 63).

Ya en el espléndido e interesantísimo «Intermedio en el que se habla de las relaciones defensivas del niño, del adolescente y del joven CJC», perteneciente al primer tomo de sus memorias —*La rosa*— Cela había consignado, con amargura no mitigada por el paso de los años, su agonizante experiencia escolar, como síntoma de lo que él mismo llama «la pubertad siniestra». Con ademán de objetividad y por explicar las reacciones del protagonista de *La rosa,* de las memorias o de la «verídica historia»[6], escribe:

> Nuestro adolescente no estudia y va aprobando el bachillerato a trancas y barrancas y a fuerza de recomendaciones. Todo le aburre y no muestra constancia ni interés por nada. Duerme muchas horas y le gusta estar metido en la cama, aun sin dormir, hasta que lo levantan para ir al colegio. En el colegio tiene pocos amigos y desprecia por igual a profesores y alumnos[7].

En el tomo de memorias de 1993 se perfilan con numerosos pormenores estos tiempos del bachillerato: los cuatro años en el colegio de los maristas, «un chalecito con aire de casa de citas»[8], su expulsión, el encargo paterno de un preceptor en la persona de don Nazario R. de Madrid y las últimas andanzas en pantalón corto. Con una memoria «que va haciendo vueltas y revueltas, vientres y nodos, altos y bajos, cumbres altaneras e incluso simas espantables, a veces»[9], Cela repasa los últimos años de la dictadura y sus años de bachillerato, en los que

---

[6]   Quiero dejar aquí registrada la constancia de Cela en denominar a sus memorias «verídica historia». Utiliza el sintagma en *La rosa* y en *Memorias, entendimientos y voluntades* («Recuerdo de La Coruña», pág. 216), donde emplea variaciones como «crónica verdadera» («Claudio Coello, 91», pág. 96). Permítaseme decir que este aparente detractor de los géneros literarios sabe tan bien como Gérard Genette, por ejemplo, qué es un relato ficcional y en qué consiste un relato factual.

[7]   CJC, *La rosa, Libro primero de La Cucaña,* Barcelona Destino, 1959, pág. 151.

[8]   CJC, «El Bachillerato», *Memorias, entendimientos y voluntades,* pág. 44.

[9]   CJC, «Mis últimas andanzas en pantalón corto», *Ibídem,* pág. 63.

descubre las luces y las sombras de la libertad. No obstante, pese al riquísimo arsenal de datos que *Memorias* (1993) proporciona al curioso lector, me sigue pareciendo más demostrativo un pasaje del capítulo antes mencionado de *La rosa,* en el que Cela desnuda su exacerbada sensibilidad y los rincones oscuros de su «pubertad siniestra» y primera juventud, absolutamente pertinentes para la comprensión del PASCUAL DUARTE, porque, con seguridad, el gran maestro gallego es sabedor de que lo único que no existe es la inocencia:

> Por la calle, cojea y tuerce la boca. También camina con las manos muertas y subidas hasta la altura de la cabeza, como hacen los tontos del pueblo, y da gritos extraños y heridores, gruñidos amargos y desacompasados. Le espantan los ciegos que piden limosna con sus ojos en carne viva y su bastón blanco, y se siente imprecisamente culpable de las más raras culpas. A las ciudades habría que tirarlas abajo y levantarlas de nuevo, están todas mal hechas. Descubre el vagabundaje y los topes de los tranvías. Descubre también la suciedad, ese inmenso encanto. No siente lástima alguna por la especie humana, pero sí una infinita compasión, una simpatía sin límite, por los perros y los gatos y las arañas. Un día, haciendo un extraordinario esfuerzo de la voluntad y retorciéndole el pescuezo a la conciencia, se propone derribar un nido de golondrinas y patear los polluelos. A continuación lloró hasta que se quedó dormido, más profundamente que nunca [10].

A pesar de la distancia, o quizá, por mor de la pretendida objetividad de este capítulo culminante de *La rosa,* a ningún conocedor del universo narrativo de Cela se le pueden escapar los compromisos que el fragmento contrae con su obra creativa, nutrida siempre de vida, y entendida como «la sombra del hombre» [11]. Los descubrimientos del adolescente Camilo

---

[10]   CJC, *La rosa,* pág. 152.

[11]   CJC, «Notas para un prólogo», *El bonito crimen del carabinero y otras invenciones* (Barcelona, José Janés 1947), *OC,* t. I, pág. 546.

José se plasmarán, andando el tiempo, en LA FAMILIA DE PAS-
CUAL DUARTE (derribar un nido de golondrinas y patear los
polluelos), en los apuntes carpetovetónicos, los cuentos y *Mazurca para dos muertos* (los tontos, los ciegos, etc.), en *Viaje a
la Alcarria* y otros libros de viajes (el vagabundaje) y en *La
colmena* (la ciudad, la suciedad, la mugre). O dicho de otro
modo, el autor que inventa un mundo de ficción tiene que haber estado en él (Cervantes, Flaubert o Unamuno lo han dejado declarado), aunque lo enmascare —las máscaras de la
ficción— a la hora de ofrecerlo a luz pública.

El primer momento decisivo para su fragua como escritor
es 1931. Ese año, internado durante un par de meses en un sanatorio de la sierra madrileña, inicia la curación de una tubercu-
losis pulmonar. A lo largo de los meses de 1931, 1932 y 1933,
con la circunstancia de la enfermedad, pasa horas y horas de
chaise longue y esculpe su perfil de lector, hasta el punto que
—como refiere el primer volumen de su «crónica verdadera»— cuando se cura y vuelve a la normalidad de la vida —ya
para 1934— se dice a sí mismo: «No soy un enfermo y en
cambio, sí soy un hombre que ha leído más, mucho más, y mejor que los demás hombres de su edad» [12]. ¿Cuál es la biblio-
teca de este voraz y penetrante lector que, aprovechando esta
enfermedad de reconocido *pedigree* literario, se adentró en
unas obras que sin duda gravitarían en la forja de LA FAMILIA
DE PASCUAL DUARTE, de los apuntes carpetovetónicos y del
Viaje a la Alcarria, que junto a *Nada* de Carmen Laforet,
constituyen, a no dudar, los pilares de la narrativa española de
la inmediata posguerra?

Hay que proceder con tiento. Lectura principalísima fue Ortega. En 1951 y en «Andanzas europeas y americanas de Pascual Duarte y su familia», que vio la luz en *Bibliofilia* y como
introducción de la primera edición del PASCUAL DUARTE en
la colección Áncora y Delfín (núm. 63) de Ediciones Destino,

---

[12] CJC, *La rosa,* pág. 155.

Cela refiere que le envió una copia del manuscrito de su primera novela a Fernando Vela, «amigo de mi padre, que me ha prestado, casi en mi niñez, los volúmenes de *El Espectador,* de Ortega» [13]. Este testimonio que debe ser cronológicamente el primero, se ve corroborado por la noticia que da en *La rosa* («Nuestro joven, en sus prolongados reposos, lee a Ortega entero y de cabo a rabo, en ejemplares que le presta Fernando Vela, amigo de su padre») [14] y que vuelve a confirmar en la segunda parte de la «verídica historia»: «los libros de Ortega me los prestó Fernando Vela, compañero de carrera de mi padre» [15]. Precisamente Ortega, cuya presencia en la configuración de los apuntes carpetovetónicos señaló con su habitual agudeza Antonio Vilanova [16] y que, según Pozuelo Yvancos [17], proporciona una singular teoría del paisaje que late en la urdimbre del *Viaje a la Alcarria,* será, con su moderno y sugestivo ideario vertido en una magistral y brillante prosa, quien le remonte desde la «pubertad siniestra» hacia el lugar de un hombre y de un escritor en ciernes, en los prolegómenos de la guerra civil: «La lectura de Ortega moraliza y aclara al joven confundido por Nietzsche y desmoralizado por los escolapios y los maristas» [18].

Subsidiariamente, y al aire de Ortega (recordemos aquí el paratexto inicial, procedente de Aristóteles, de los tomos II y III de *El Espectador:* «Seamos con nuestras vidas como arqueros que tienen un blanco»), lee los setenta tomos de la colección entera de clásicos de Rivadeneyra. Como trabajo dia-

---

[13] CJC, «Andanzas europeas y americanas de Pascual Duarte y su familia», *OC,* t. I, pág. 552.

[14] CJC, *La rosa,* pág. 154.

[15] CJC, «El fuego, los clásicos y algunos amigos», *Memorias, entendimientos y voluntades,* pág. 112.

[16] Antonio Vilanova, «La realidad esperpéntica en Camilo José Cela», en CJC, *Torero de salón,* Barcelona, Lumen, 1972, págs. 12-17, especialmente.

[17] J. M. Pozuelo Yvancos, «Introducción» a CJC, *Viaje a la Alcarria,* Madrid, Espasa Calpe (Austral), 1990, págs. 20-28.

[18] CJC, *La rosa,* págs. 154-155.

rio y no siempre gustoso, Cela lee todos y cada uno de los volúmenes, estableciendo un rosario de aficiones que en *La rosa*
recuerda:

> La margarita de sus aficiones de entonces, que ahora ha-
> bría que revisar, claro es, no resulta difícil: Lope, sí; Calde-
> rón, no; Cervantes, sí; fray Luis de Granada, no; santa Teresa,
> sí; Tirso, no; Quevedo, sí; san Juan de la Cruz, sí; fray Luis
> de León, sí; el Arcipreste, sí; Santillana, sí; Jorge Manrique,
> sí; Jovellanos, sí; Moratín, no [19].

A este verdadero depósito de literatura clásica española
hay que sumar algunas lecturas más que van a resultar decisivas para la creación del PASCUAL DUARTE. En *La rosa* hace
hincapié en la lectura de Dostoievski y en la relectura del *Lazarillo*. En *Memorias* recuerda la lección de Baroja, Valle-
Inclán, Dickens, Dostoievski y Stendhal. El escrutinio de las
lecturas que más influenciaron al joven Cela puede estable-
cerse si nos atenemos a sus propias declaraciones al paso de
los años. Vayamos a ello por el camino del florilegio y de la
cronología. En una entrevista que el falangista Pedro Carballo
realiza al joven maestro en el semanario *Fotos* (18 de julio
de 1943), la respuesta de Cela a la pregunta de qué preferen-
cias tiene en la novelística mundial es categórica: «Sin discu-
sión: Dostoievski. Creo que es el padre de la novela contemporánea». Para añadir ante el interrogante, ¿y las madres?:
«Varias, Balzac, Dickens, Stendhal... Más cerca, Baroja —ese
inmenso, extraordinario, ingente novelista español—, Law-
rence, los Mann, Joyce...» [20]. En 1971, conversando con el
profesor Andrés Amorós, le precisa sus lecturas juveniles:
«Los poetas medievales, los españoles de los siglos XVI
y XVII, Dickens, el 98 y Ortega, que fueron las lecturas de

---

[19]   CJC, *La rosa*, pág. 154.
[20]   Pedro Carballo, «Teoría y anécdota de autor de *La familia de Pascual
Duarte*», *Fotos* (18 de julio de 1943).

primera juventud de enfermo, época en la que leí incansable-
mente»[21]. Ya en 1990, y en una espléndida entrevista con
Juan Cueto y Pedro Abad, refiere sus lecturas de los años
treinta: «Pasé directamente a los clásicos de Rivadeneyra y a
Ortega, y más tarde empecé con Galdós, Baroja, Juan Valera,
la condesa de Pardo Bazán... Y Wenceslao Fernández Flórez,
Dickens, Stevenson, Dostoievski, los franceses...»[22]. Aunque
la averiguación exacta es improbable, las repeticiones resultan iluminadoras: en el equipaje literario del joven Cela, pre-
vio al *Pascual,* se atesoraban las querencias por el 98 (en especial, Baroja) y las apetencias por los grandes maestros de
la novela europea decimonónica: Dickens, Stendhal y el autor de *Crimen y castigo* (su novela más querida en 1942) a la
cabeza.

Escrutinio que, en la órbita del PASCUAL y de sus obras iniciales, la crítica más lúcida ha confirmado. La deuda de Cela
para con el 98 quien mejor la ha formulado ha sido Francisco
Umbral en su inteligente, sesgado y brillante libro *Las palabras de la tribu:* «Todo él [Cela] es un 98 completo. En él están Azorín, Valle, Baroja y Unamuno y Machado»[23]. Más pun-
tilloso y con indiscutible acierto, el profesor Antonio Vilanova
ha marcado diversas influencias noventayochescas en la obra
inicial de Cela. Para el PASCUAL, el esperpento y, en especial, el
valleinclaniano auto para siluetas, *Sortilegio*[24], para los cuentos y los apuntes, la realidad esperpéntica de Valle y las descripciones de Baroja y Antonio Machado[25]; y en lo que atañe

[21]   Andrés Amorós, «Conversación con Cela. Sin máscara», *Revista de
Occidente,* XXXIII (1971), pág. 271.
[22]   Alonso Zamora Vicente / Juan Cueto, *Retrato de Camilo José Cela,*
Barcelona, Círculo de Lectores, 1990, pág. 81.
[23]   Francisco Umbral, *Las palabras de la tribu,* Barcelona, Planeta, 1994,
pág. 344.
[24]   Antonio Vilanova, «*El Pascual Duarte,* de Cela, veinte años después»,
Destino (13 de febrero de 1965).
[25]   Antonio Vilanova, «La realidad esperpéntica en Camilo José Cela»,
pág. 39.

al genérico genio narrativo del artista gallego, la proximidad con el penetrante realismo barojiano [26]. Sin duda, para el joven lector de los años treinta y para el joven maestro de 1942, el vigor narrativo de Baroja, adobado por el estudio introductorio, brillante y singular, de *El Espectador* orteguiano, se debió convertir (primordialmente en esos años, la trilogía *La lucha por la vida*) en un patrón por el que cortar la tela narrativa y en un espejo en el que mirar la torva y ácida realidad española. En muchas ocasiones Cela ha reconocido el magisterio del autor de *Aurora roja*. Por su laconismo elijo un testimonio cercano, publicado en diciembre de 1992 y titulado «Recuerdo de Baroja»:

> A mí me llena de tranquilidad de conciencia el recordar a mi viejo maestro y amigo todos los años diciéndolo por escrito o medio callándomelo en la viva voz, pero no olvidándolo jamás. La literatura es una cultura que se hereda o, quizá mejor, una carrera de antorchas que no cesa jamás. Todos los que somos venimos de todos los que fueron y de nada vale ni querer quemar etapas ni intentar borrar la evidencia. Y porque lo pienso, lo digo: Baroja, el último gran novelista español, vive aún en la memoria de sus lectores, de sus amigos, de quienes nos consideramos sus agradecidos discípulos [27].

Y añado un breve pero intensísimo y representativo sumando. El discurso pronunciado por Cela en Estocolmo el 8 de diciembre de 1989, *Elogio de la fábula,* se iniciaba así:

> Mi viejo amigo y maestro Pío Baroja, que se quedó sin el premio Nobel porque la candelita del acierto no siempre alumbra la cabeza del justo, tenía un reloj de pared en cuya esfera

[26]   Antonio Vilanova, «*Viaje a la Alcarria* de Camilo José Cela», *Destino* (1 de enero de 1955).
[27]   CJC, «Recuerdo de Baroja», *A bote pronto,* Barcelona, Seix Barral, 1994, págs. 143-144.

lucían unas palabras aleccionadoras, un lema estremecedor que
señalaba el paso de las horas: Todas hieren, la última mata[28].

En aquella tribuna tan difícil de alcanzar el autor de *La colmena* no quiso pasar por alto a su más importante maestro en
las letras españolas contemporáneas.

La evidente deuda que el primer Cela contrae con el autor
de *Crimen y castigo* tampoco ha pasado inadvertida para la
crítica. Pedro de Lorenzo, que, como ya notó Jorge Urrutia[29],
publicó una de las reseñas más inteligentes que aparecieron
sobre el PASCUAL, decía en *Ya* (16 de marzo de 1943): «El arte
de novelar en Cela apóyase en un procedimiento rigurosamente presentativo, sea o no de corte naturalista; lo básico es
la posición del autor, que se coloca al margen de sus héroes y
asiste a los desenlaces más trágicos sin dejarse vencer de piedad; y en esa impasibilidad objetiva, pavorosa, fría, inconmovible, radica la razón de una fuerza dramática con la que el novelista se sobrepone a sus posibles modelos rusos»[30].

---

[28] CJC, *Elogio de la fábula.* Cito por *El extramundi y los papeles de Iria
Flavia,* I (1995), pág. 133. Este recuerdo de Baroja tiene antecedentes en la obra
de Cela; cf. «Los relojes de Pío Baroja, los respetuosos relojes de Pío Baroja,
son primos de un lema entre cartujo y existencialista: "Todas hieren; la última
mata"» [CJC, «Pío Baroja al borde de los setenta y ocho años», *Correo Literario*
(15 de diciembre de 1950), *OC,* Barcelona, Destino, 1989, t. XII, *Glosa del
mundo en torno,* pág. 272]. Por otra parte es conveniente recordar que Cela pidió, desde la inmediata posguerra, el premio Nobel para Baroja; cf. «Hace ya
dos años, en una conferencia que dimos en San Sebastián, pedimos para nuestro
Pío Baroja el premio Nobel de Literatura. Quizá nadie en el mundo con mayores
merecimientos que él. Nuestra voz fue oída por la media docena de amigos de
siempre. ¡Qué le vamos a hacer! Hoy, y antes de que sea más tarde volvemos a
decir lo mismo. A veces, también tiene cierto encanto predicar en el vacío» [CJC,
«Nuestro novelista cumple setenta y seis años», *Arriba* (28 de diciembre de
1948), *OC,* Barcelona, Destino, 176, t. IX, *Glosa del mundo en torno,* pág. 457].
[29] Jorge Urrutia, *Cela: «La familia de Pascual Duarte». Los contextos y
el texto,* Madrid, SGEL, 1982, pág. 44.
[30] Pedro de Lorenzo, «Evidencia creadora de la juventud. El renacimiento de la novela», en Francisco Rico / Domingo Ynduráin, *Historia y
Crítica de la Literatura Española. Época contemporánea: 1939-1980,* Barcelona, Crítica, 1981, pág. 366.

En los modelos rusos, particularmente en la obra de Dostoievski, también se quiso ver —y no por casualidad— el ademán brioso y el discurso enérgico de *Nada*. Darío Fernández Flórez, lector de primera hora de la novela de Laforet, escribió sin ambages: «En algunas páginas, uno escucha un doble eco: el de las voces de *Cumbres borrascosas* y el de algunos personajes de Dostoievski» [31].

Conviene no echar en saco roto noticias como las anteriores para saber que los dos grandes aldabonazos de la novela española de posguerra, PASCUAL DUARTE (1942) y *Nada* (1945), no son frutos adánicos y que tanto Cela como Laforet concuerdan en el crisol de un realismo, existencial y social [32], que, vinculado con una tradición hispánica y europea, va a significar, junto con *Javier Mariño* (1943), *La fiel infantería* (1943) y *Mariona Rebull* (1944) el punto de partida de la novela de posguerra. Por otro lado, aunque PASCUAL y *Nada* pertenecen a órbitas narrativas diferentes, respiran no sólo una atmósfera que huele a miseria, fealdad y desmoronamiento, sino que sus protagonistas —mediante un discurso convocado desde su única perspectiva— confiesan sus ataduras a un destino doloroso. Las palabras iniciales del capítulo primero del PASCUAL o algunas de sus reflexiones en el curso de la escritura de la obra, reverberan en el círculo femenino, perdido y marginado de Andrea, esclava —como Pascual— de su destino:

---

[31] Darío Fernández Flórez, *«Nada», Crítica al viento,* Madrid, Editora Nacional, 1948, págs. 71-75, en Francisco Rico / Domingo Ynduráin, *Historia y Crítica de la Literatura Española. Época contemporánea: 1939-1980,* pág. 371. No es éste el lugar, pero no andaba desencaminado el novelista y crítico vallisoletano. La propia Carmen Laforet reflexiona sobre el arte narrativo de Dostoievski con notable perspicacia en algunos tempranos artículos. Cf. «El trabajo impasible», *Informaciones* (11 de julio de 1951).

[32] Atinadamente el profesor Soldevila Durante señala la indiferenciación de ambos realismos en los primeros años cuarenta. Cf. Ignacio Soldevila Durante, *La novela desde 1936,* Madrid, Alhambra, 1980, pág. 109.

Me parecía que de nada vale correr si siempre ha de irse
por el mismo camino, cerrado, de nuestra personalidad. Unos
seres nacen para vivir, otros para trabajar, otros para mirar la
vida. Yo tenía un pequeño y ruin papel de espectadora. Imposible salirme de él. Imposible libertarme [33].

En lo que tienen de psicologías imaginarias, Pascual y Andrea, y en lo que deben sus respectivas novelas a una *forma* de
la vida, guardan alguna concomitancia de relieve, aunque,
como ha señalado el profesor Antonio Vilanova en más de una
ocasión, la transición del PASCUAL a *Nada* «significa el paso
del fiero iberismo de la España carpetovetónica a la miseria
vergonzante y el triste quiero y no puedo pequeñoburgués de
la posguerra, no exento tampoco de rasgos truculentos y som-
bríos» [34]. Creo que, junto al tiempo histórico, al fondo de esta
convergencia está Dostoievski, cuya presencia en el PASCUAL
quien mejor la vio relacionada con el discurso del relato fue
Eugenio d'Ors en una glosa aparecida en *Arriba* (18 de abril
de 1944). Veía el gran intelectual catalán el relato «como es-
cindido en dos secciones —una inspirada por el renuevo de la
tradición picaresca y castiza; otra, influida más bien por el dinamismo alucinante de los maestros rusos—» [35].

¿De dónde proviene esta inusitada devoción por el autor de
El idiota en la inmediata posguerra? [36] Apuntaré algunas con-

---

[33]   Carmen Laforet, *Nada,* Barcelona, Destino, 1971, cap. XVIII, pág. 224.
[34]   Antonio Vilanova, *«Pascual Duarte* y *Nada:* del drama rural a la novela existencial», *El País* (14 de marzo de 1985).
[35]   Cito por Jorge Urrutia, *Cela: «La familia de Pascual Duarte». Los
contextos y el texto,* pág. 62.
[36]   En sus consideraciones sobre la novela y sus alrededores, en la inmediata posguerra, Cela cita con notable frecuencia a Dostoievski. Daré
algunas noticias. Primera: «A la novela lo que le hace falta es que nadie
trate de buscarle los tres pies, como al gato; que nadie olvide esas cuatro
fuentes inagotables de acción, de belleza, de interés, que se llamaron Balzac,
Dickens, Dostoievski, Stendhal. Lo demás... sirve para poco» [«Algunas
notas en torno al concepto de novela», *Haz* (febrero, 1943), *OC,* t. IX, *Glosa
del mundo en torno,* pág. 83]. Segunda: «Porque si no fuera por la vida que

sideraciones que puedan iluminar el sistema de la historia de la novela española y, en concreto, de la narrativa inicial de Cela en este particular aspecto. Sin duda, las dramáticas circunstancias históricas facilitaron dicho fervor, pero la siembra del interés por Dostoievski viene de los años veinte y treinta. Al margen de la renovada y constante afición de Baroja por Dostoievski —cuyo punto de partida hay que situar en un juvenil y brillante artículo publicado en marzo de 1890 en *La Unión Liberal* de San Sebastián— que con toda probabilidad trasladó a novelistas como Sebastián Juan Arbó (posteriormente biógrafo de don Pío) o el propio Cela, y soslayando también la vida y apasionada querencia de don Antonio Machado en los años veinte por la novela rusa [37], estimo que son dos los estímulos fundamentales de la actualización de Dostoievski: en el ensayo *Ideas sobre la novela* (1924-1925) de Ortega y un amplio abanico de artículos del olvidado y gran crítico Ricardo Baeza en *El Sol* durante el otoño de 1926 y el invierno de 1927, recogidos con posterioridad en un valioso tomo de ensayos críticos titulado *Comprensión de Dostoiewski y otros ensayos* (Barcelona, Juventud, 1935).

Junto a ello, la mejor calidad de las traducciones, primero a través de la Colección Universal de la editorial Calpe —lugar de abastecimiento de los jóvenes del 27, según el testimonio albertiano de *La arboleda perdida*— [38] y luego de otras edito-

---

tienen, novelas como *Le rouge et le noir* o *Crimen y castigo,* serían muy poca cosa, ya que lo que salva al novelista es lo que pone como tal y no se puede aprender» [«Idilios y fantasías. *Arriba* (16 de enero de 1945), *OC,* t. IX, *Glosa del mundo en torno,* pág. 126]. Y tercera: «Dostoievski, el más profundo novelista psicológico de todos los tiempos» [«Anna Dostoievskaia», *Arriba* (9 de febrero de 1945), *OC,* t. IX, *Glosa del mundo en torno,* pág. 139].

[37] Antonio Machado, «Sobre literatura rusa. Discurso pronunciado en la "Casa de los Picos de Segovia" (6 de abril de 1922)», *Prosas Completas* (ed. O. Macrì / G. Chiappini), Madrid, Espasa Calpe, 1988, págs. 1231-1238.

[38] Cf. «Aquella Colección Universal, de pastas amarillentas, nos inició a todos en el conocimiento de los grandes escritores rusos, muy poco divulgados antes de que Calpe los publicara» (Rafael Alberti, *La arboleda perdida. Libros I y II de Memorias,* Barcelona, Seix Barral, 1976, pág. 160).

riales (Cénit, CIAP, Aguilar, etc.), crearon un clima que Pablo
Gil Casado ha cuantificado de un modo inequívoco:

> Un rápido recuento de la *Bibliografía General Española*
> desde 1920 a julio de 1936 arroja un total de 222 títulos y
> ediciones de los autores más conocidos (contamos dos edi-
> ciones de un mismo título por dos) entre cuentos y novelas,
> más las obras completas de Dostoievski [39].

Con el auge del psicoanálisis de Freud y con el sugestivo
estudio de André Gide sobre Dostoievski (París, Plon-Nourrit,
1923) en la trastienda, no es de extrañar que tanto Ortega
como Ricardo Baeza dedicaran especial atención al maestro
ruso. Atención que no pudo pasar desapercibida para el joven
Cela, lector voraz de las obras de Dostoievski, así como entu-
siasta devorador del universo narrativo de Baroja, quien en el
«Prólogo casi doctrinal sobre la novela», antepuesto a *La nave
de los locos* (1925), entra —es sabido— en abierto debate con
las ideas orteguianas acerca de la novela, con el capitulillo dedicado al valor de Dostoievski, tergiversado, según don Pío,
por su buen amigo Ortega. En consecuencia, estos datos deben ayudar —desde la óptica que aquí nos ocupa: la fragua del
novelista Camilo José Cela— a entender su encendida pasión
por Dostoievski, tanto en sus años de joven lector como en las
inmediaciones de la publicación del PASCUAL. Del entrecruce
de las ideas a propósito de la novela, algo diremos más adelante.

Faltan en el perfil que Giménez Caballero trazó de Cela algunos rasgos más, que apuraré con la máxima brevedad para
concluir este ya poco cauteloso tiento. Sumariamente expues-
tos los recovecos de la adolescencia y de la primerísima ju-

---

[39]   Pablo Gil Casado, *La novela social española,* Barcelona, Seix Barral,
1973, pág. 133. Es conveniente la consulta del capítulo segundo del libro de
Fulgencio Castañar, *El compromiso en la novela de la II República,* Madrid,
Siglo XXI, 1992, págs. 14-53.

ventud (muy anclados en las lecturas), queda por llegar el
tiempo de la facultad madrileña de Letras y el inicio de la guerra
civil. Breve fue su experiencia como oyente en la facultad de
Filosofía y Letras, escuchando con atención a Fernández Montesinos, Pedro Salinas, Zubiri, García Morente, Ortega, Andrés Ovejero, Américo Castro, Menéndez Pidal y Armando
Cotarelo. Como recuerda en sus *Memorias* recibió especial
atención de María Zambrano y Pedro Salinas.

Y fue breve porque el 18 de julio de 1936 se inició la experiencia más decisiva de la historia española de este siglo y de
la propia andadura personal de Cela. No resulta fácil aquilatar
en pocas líneas el impacto vital e intelectual, luego trasvasado
mediante la memoria en creación literaria, de este brutal seísmo, tanto más si subrayamos el fundamental postulado de
Cela, según el cual la memoria es la fuente del dolor, con el
conveniente recordatorio de que tal convicción es absolutamente imprescindible para la buena comprensión del PASCUAL.

La experiencia de la guerra civil ocupa más de veinte capítulos de sus *Memorias* y nutre dos de sus obras maestras, *Vís-
peras, festividad y octava de San Camilo del año 1936 en Madrid* (Madrid, Alfaguara, 1969) y *Mazurca para dos muertos*
(Barcelona, Seix Barral, 1983). Un doble denominador común
emparenta lo factual con lo ficcional: Cela califica el tiempo
de la guerra como «atropellado y pasional, aventurero y
abyecto, desequilibrado, acelerado y ruin, que a todos nos
marcó» [40], y su mirada sobre ese tiempo como un «compendio
de memorias, entendimientos y voluntades y no una nómina
de fes, esperanzas y caridades» [41]. Ante la ley brutal de la historia de España, Cela no levanta un retablo aparentemente inocente de lealtades y deslealtades, de apologías y antiapologías,
sino la experiencia personal abonada de intrahistoria, de vividura en una trágica morada vital que encuentra su emblemá-

---

[40]   CJC, «Torpezas, vesanías y deslealtades», *Memorias, entendimientos
y voluntades,* pág. 123.
[41]   *Ibídem,* pág. 123.

tico cronotopo en el burdel madrileño de *San Camilo* y en el orensano de *Mazurca para dos muertos.* Por ello no parece irrelevante recordar que Cela —cuyo pensamiento engarza con la tradición liberal española (de Unamuno a Ortega, de Menéndez Pidal a Américo Castro)— adopte como paratexto de la primera parte de *San Camilo, 1936* (1969) las mismas palabras galdosianas de *Fortunata y Jacinta* («la inseguridad, única cosa que es constante entre nosotros») que don Américo Castro utilizó para rotular el capítulo primero de *La realidad histórica de España* (1952) [42].

La mirada de Cela sobre la guerra civil es una mirada de madurez, con cincuenta años a las espaldas al menos. Y esa mirada de madurez abunda en una teoría heredada de don Habacuc del Cura y de la Puente, oficial de notarías, amigo del padre del escritor. Don Habacuc «clasificaba a la humanidad en dos grandes grupos, amigos e hijos de puta»:

> La teoría de don Habacuc —escribe Cela en sus *Memorias*—, que procuraré tener siempre presente, no falla jamás y la experiencia abunda en mi supuesto. Tanto entre los de un bando como entre los del otro hubo amigos e hijos de puta, para mí que había más de los primeros que de los segundos, aunque éstos gritasen y se viesen más y aquellos otros pasaran más inadvertidos. Cervantes, en el *Coloquio de los perros,* dice que la costumbre del vicio se vuelve en naturaleza; probablemente esto también cuenta para el hábito de asesinato [43].

Convencido por la experiencia y por la noticia histórica de que poco de lo ocurrido tenía que ver con el valor o el dolor y

---

[42]   Cf. «Américo Castro llama: España, o la historia de una inseguridad, al capítulo primero de *La realidad histórica de España* y, en apoyo del título, encabeza sus páginas con unas palabras del Galdós de *Fortunata y Jacinta:* la inseguridad, única cosa que es constante entre nosotros» [CJC, «Sobre España, los españoles y lo español», *Cuadernos* (París, mayo-junio, 1959), *OC*, t. XII, *Glosa del mundo en torno,* pág. 623].

[43]   CJC, «Don Habacuc del Cura y de la Puente», *Memorias, entendimientos y voluntades,* pág. 145.

sí con «un atroz pugilato de crueles bajezas» [44], Cela ha construido —desde su propia experiencia, insisto— un doble retablo novelesco que convoca a «el lagarto de la aventura personal [...], el sapo de la delación, el ave tiñosa de la mugre, la víbora de la sangre» [45]. Esto fue, a su juicio, la guerra civil: una derrota de los más, una derrota del hombre, ante los mesías, los hampones y los conversos. Dos pasajes narrativos desvelan —con la intensidad y la ética de la fábula— el pensamiento de Cela. El primero es un fragmento del discurso final del tío Jerónimo dirigido al joven sobrino, trasunto de Camilo José:

> Tenemos que amar a España, sobrino, tenemos que amarla con mucha ternura, con mucha cordura, con mucha cautela. España se nos puede morir entre las manos cualquier día, España tiene la sangre envenenada y es preciso hacerle respirar aire puro, lo que no sé es por dónde se debe empezar, ¿lo sabes tú?, no, tú no lo sabes y te callas, bien entendemos tú y yo por qué te callas, ¿lo sabe alguien?, tampoco y esa es la tragedia, nadie sabe por dónde debemos empezar los españoles, puede ser que haya que empezar por el principio y con toda lentitud, a España siempre le sobraron españoles con demasiada paciencia y españoles demasiado impacientes, no sé lo que pasa en otros lados, pero sí te aseguro que en otros lados la mentira suele no ser tan desmemoriada, entre nosotros se miente con excesivo olvido de la verdad e incluso de la mentira, de la última mentira, los peligros desconocidos son terribles por desconocidos, cuando nos acercamos a ellos son menos terribles y con frecuencia no son ni peligros, no sé si entiendes lo que quiero decirte, los peores y más terribles peligros suelen anidar en nuestro propio pecho, el joven maestro Ortega y Gasset dice que los españoles ofrecemos a la vida un corazón blindado de rencor, mientras no abramos nuestros corazones para que el rencor huya seguiremos siempre en las mismas, las pasiones están desatadas, no tienes más

[44] CJC, «El denominador común», *Memorias, entendimientos y voluntades,* pág. 135.
[45] *Ibídem,* pág. 135.

que asomarte a balcón y escuchar su bramido, la pasión puede ser la cuna del amor, pero también la cuna de la muerte, los ataúdes son las cunas de la muerte, a la pasión debe marcársele un ancho sendero fácil de caminar[46].

El segundo es una de las últimas reverberaciones de uno de los motivos dominantes de *Mazurca para dos muertos;* la lluvia mansa y monótona, en una fecha indeterminada, pero inmediatamente posterior al primero de abril de 1939:

> Llueve como llovió toda la vida, yo no recuerdo otra lluvia, ni otro color, ni otro silencio, llueve con lentitud, con mansedumbre, con monotonía, llueve sin principio ni fin, se dice que las aguas vuelven siempre a su cauce, no es verdad, oigo cantar de nuevo al mirlo pero su canto es diferente y no del todo afinado y armonioso, es un poco más triste y opaca, parece que sale de la garganta de un pájaro fantasmal, de un pájaro enfermo del alma y de la memoria, pudiera ser que el mirlo estuviese más viejo y desilusionado, hay algo distinto en el aire, se conoce que algunos hombres dejaron ya de respirar, por estos montes rodaron cabezas y vilezas pero también lágrimas, muchas lágrimas, la tierra es del mismo color que el cielo, también de la misma noble y nostálgica materia, y la raya del monte se borra detrás de la lluvia silenciosa, el verde blando y el gris ceniciento y blando sirven de cobijo a la raposa y al lobo, la guerra fue del hombre contra el hombre y su figura alegre, ahora la silueta del hombre es triste y está como avergonzada, no lo veo del todo claro pero para mí tengo que la guerra la perdió el hombre, ese doloroso animal en malaventura, ese amargo animal que no escarmienta. Si alguien pidiera paz, piedad y perdón, nadie le haría caso, la victoria es embriagadora, también envenenadora, la victoria acaba confundiendo al victorioso y adormeciéndolo[47].

---

[46]   CJC, *San Camilo, 1936,* Madrid, Alfaguara, 1969, págs. 435-436.
[47]   CJC, *Mazurca para dos muertos,* Barcelona, Seix Barral, 1983, págs. 204-205.

La síntesis de tantas y tantas escenas (magistralmente elaboradas, prodigiosamente narradas) como ambas novelas presentan se ofrece en una inequívoca reflexión de las *Memorias:*

> La guerra es el amargo tiempo subvertido y revuelto, también desajustado, en el que los padres entierran a los hijos; la literatura heroica no es más que una falacia grandilocuente, y la literatura antimilitarista, la literatura apologética de los antivalores también convencionales, es igual pero de signo contrario, una y otra son como el haz y el envés de una misma medalla[48].

Ahora bien, dejando aparte las fábulas y las reflexiones morales de madurez[49], el protagonista verídico de aquella guerra, el joven Camilo José, mozo del reemplazo del 37 (sujeto emisor del «vómito moral»[50] en *San Camilo* y espejo de Raimundo el de los Casandulfes en *Mazurca),* atravesó el conflicto con sus negras desesperanzas, y en esa travesía un puerto destacado fue Torremejía, lugar extremeño, donde Cela habría, meses después, de hacer nacer y padecer a su «pobre títere Pascual Duarte»[51]. Allí estuvo entre el 8 de febrero y el 3 de marzo de 1939.

El segundo tomo de la «crónica verdadera» da cumplida cuenta en una prosa insuperable del acontecer intrahistórico en la guerra civil, reseñando el zigzagueo de la propia trayectoria personal. En el capítulo encabezado «Torremejía», Cela cuenta, con todo tipo de prevenciones y reservas acerca de la identidad de los protagonistas, un lance que sin ambages em-

---

[48] CJC, «La Guerra», *Memorias, entendimientos y voluntades,* pág. 248.
[49] Remito al propio CJC, *Al servicio de algo,* Madrid, Alfaguara, 1969. Y al estupendo artículo de José-Carlos Mainer, *«Por un pensamiento que a lo mejor es mentira:* la guerra civil en la obra de Camilo José Cela», *Bulletin Hispanique,* 94 (1992), págs. 245-261.
[50] El sintagma lo emplea Gonzalo Sobejano, *Novela española de nuestro tiempo,* Madrid, Prensa Española, 1975, pág. 135.
[51] CJC, «Torremejía», *Memorias, entendimientos y voluntades,* pág. 272.

parenta con la novela de 1942, identificando la química que bullía en la cabeza de Pascual «al matar a la yegua y al Estirao y a la perrilla Chispa y a la madre y a don Jesús»[52] con el desvío psíquico por el que fugazmente atravesó el propio autor, a la sazón cabo de artillería, en el sucedido que las *Memorias* transcriben, y que resumo.

Instalados, en plena contienda civil, Cela y Modesto Quinteiro en la casa de dos señoritas cuarentonas, de buen ver y de buena posición, y tratados a cuerpo de rey como salvadores de la patria, un buen día, Cela sintió un deseo irreprimible de estrangularlas y decidió marcharse. La partida es lo que en las *Memorias* se describe con detalle y se ofrece en parentesco con los acontecimientos fundamentales del PASCUAL, que de nuevo se debe ver como un espejo alucinado pero no inocente de la propia experiencia personal. He aquí el texto:

> Modesto y yo nos vestimos muy sigilosamente y salimos casi sin respirar y con las botas en la mano para que no nos oyesen; al pasar por el salón yo me sentí como arrastrado por una fuerza irrefrenable, en aquel momento hubiera sido capaz de levantar un saco de diez arrobas con un dedo, me miré en el espejo y me encontré de una palidez calavérica, con la frente más ancha que nunca y las orejas rojas como amapolas, me empezó a pinchar el lado del corazón como cuando le da a uno un infarto, vi perfectamente cómo las dos señoritas hacían calceta en su gabinete, lo vi a través de las paredes, los techos, las puertas cerradas, pero lo vi muy limpio y bien dibujado, calcetaban en silencio y como con resignación, entonces me dio la tos, se me fue la vista y estuve unos instantes sin ver, era como si tuviera los ojos en un túnel surcado por cien estrellas fugaces, hasta se olía la carbonilla del tren, después me bajé los pantalones y les cagué el teclado del piano, no cagué normal sino medio descompuesto, ¡qué horror, imaginar a las dos señoritas despegando con su aguja de calceta la mierda

---

[52]   CJC, «Torremejía», *Memorias, entendimientos y voluntades*, pág. 277.

colada entre el do y el re y otras teclas! Rematé todo limpián-
dome el culo con el canario, que se quedó rebozado y pas-
mado sobre la tapicería de seda del sofá; bajé las escaleras de
puntillas, pero cerré la puerta de un gran portazo, de un golpe
desconsiderado, estruendoso y descomunal, y al llegar a la calle salí corriendo y gritando, le pegué una patada a un cubo y
después otra a un perro y no paré de correr hasta que se me
fue la respiración. Yo sé bien que tan sólo por esto Dios Todo-
poderoso podría mandarme a arder en el infierno para toda la
eternidad, pero pienso que quizá, en su misericordia infinita,
se apiade de mí y de la vergüenza que ahora siento y declaro [53].

Al margen de la escatología y del oscuro protagonismo del
joven Cela en este lance, cuyas analogías con la psicología
tormentosa de Pascual Duarte saltan a la vista (y de la presencia del espejo que apunta a *San Camilo),* las *Memorias* histo-
rian algún anecdotario interesante de su estancia en Torremejía, Mérida y Almendralejo. Pero quiero referirme, por último,
al desorientador fin de la guerra, según la espantada memoria,
el atónito entendimiento y la benevolente voluntad del maestro gallego. Enfermo del pecho, mal estudiante de Derecho y
empleado en el Sindicato Nacional Textil, Cela ha dejado escrito que «es posible que los años 1940, 41 y 42 hayan sido los
más amargos de mi vida» [54]. Y en la génesis del PASCUAL está
la evidencia de esa amargura, con el radical nihilismo creador
del que habló don Américo Castro: «El *nihil* del artista se
mueve en el ámbito del vivir, en donde conviven el pensar, el
sentir y los aledaños de ambos» [55]. Las escaseces y las zanca-
dillas se suceden mientras es nombrado con carácter provisio-
nal oficial de segunda y Jefe de los Registros y Archivos de

---

[53] CJC, «Torremejía», *Memorias, entendimientos y voluntades,* págs. 276-
277.
[54] CJC, «Mi primer artículo, mi primera conferencia, mi primer cuento»,
Memorias, entendimientos y voluntades, pág. 327.
[55] Américo Castro, «Algo sobre el nihilismo creador de Camilo José
Cela» (1960), *Hacia Cervantes,* Madrid, Taurus, 1967, pág. 487.

Jefatura del Sindicato Nacional Textil. En las oficinas de ese sindicato nació LA FAMILIA DE PASCUAL DUARTE:

> Mi despacho era la cocina del piso en el que estábamos, el principal, y la mecanógrafa, como yo no le daba ningún trabajo, se escapaba por la escalera de servicio y se iba a pasear con su novio, así tenía yo la soledad y la paz que siempre se necesitan para escribir[56].

Así su primera obra maestra y punto de partida de la narrativa de posguerra[57] se fraguaba en la soledad, *locus amoenus* del escritor, cuya vocación —lo escribió Cela, años después— «es fruto que sólo grana en la soledad, en la alegre soledad, compañía de los tristes, de que nos habló el solitario —y tumultuoso— Miguel de Cervantes»[58]. Aquejado de un fuerte chasquido de la salud («entonces creí que estaba herido de muerte»)[59] pone punto final a su elaboración poco después del día de Reyes de 1942. Tras una laboriosa y desgraciada peripecia editorial, LA FAMILIA DE PASCUAL DUARTE sale a la luz el 7 de diciembre de 1942. El 24 de diciembre y en *Juventud* aparecía la primera reseña crítica de la novela y el primer artículo sobre Cela: «El acento novelístico de Camilo José Cela» de Enrique Azcoaga.

Quizá la coda necesaria de este cauteloso tiento deba remitirnos irremediablemente a su obertura. PASCUAL DUARTE, es-

---

[56]   CJC, «Mi primer artículo, mi primera conferencia, mi primer cuento», *Memorias, entendimientos y voluntades,* pág. 330.

[57]   El primero en apuntarlo fue Miguel Pérez Ferrero en nota, sin firma, aparecida en *La Voz de España,* San Sebastián (1 de enero de 1943). Lo ha indicado el propio CJC, «La comba de la novela y estrambotes didácticos para escarnio de malintencionados», *OC,* Barcelona, Destino, 1969, t. VII, pág. 20.

[58]   CJC, «Sobre la soledad del escritor», *Cuatro figuras del 98. Unamuno, Valle-Inclán, Baroja, Azorín y otros retratos y ensayos españoles,* Barcelona, Aedos, 1961. Cito por el utilísimo tomito CJC, *Páginas escogidas* (ed. Darío Villanueva), Madrid, Espasa Calpe (Austral), 1991, pág. 207.

[59]   CJC, «Mi primera novela», *Memorias, entendimientos y voluntades,* pág. 336.

crita —según Giménez Caballero— «en un estilo directo, bárbaro, impasible» [60], con valores artísticos que Pedro Carballo certificaba en «nervio, auténtica creación novelesca, estilo, prosa, idioma» [61], llevó en algunos ejemplares de la primera edición y en todos los de la segunda (Madrid, Aldecoa, 1943) una frase de Pío Baroja extraída de una entrevista que Federico Izquierdo Luque le hizo en *El Español* (2 de enero de 1943): «Después de la guerra he leído poco. La gente vieja no lee el último libro. Sin embargo, conozco una novela muy buena de Camilo José Cela. Se titula LA FAMILIA DE PASCUAL DUARTE» [62]. Vale la pena recordar que Cela le pidió un prólogo a Baroja, pero el maestro vasco se negó en redondo a tal ofrecimiento:

> —No; mire —me dijo—, si usted quiere que lo lleven a la cárcel vaya solo, que para eso es joven. Yo no le prologo el libro [63].

Aunque con las dificultades propias de la censura, el libro tuvo desde el principio éxito. Cela ha resumido con un poco de mal disimulada mala uva la vida de la novela:

> A mí me alegra el haber escrito *La familia de Pascual Duarte,* aunque es posible que me tenga ya un poco aburrido. Durante la cuaresma suelo refocilarme en el pensamiento de los escritores a quienes no hace caso ni Dios, porque de ellos será el reino de los premios y las gimnásticas bienaventuranzas administrativas. *La familia de Pascual Duarte* no tuvo jamás ni un solo premio; cuando la

---

[60] Ernesto Giménez Caballero, «Lazarillo se ha levantado y anda otra vez», en «Vagabundeo por la picaresca», *La Picaresca. Orígenes, Textos y Estructuras,* pág. 937.

[61] Pedro Carballo, «Teoría y anécdota del autor de *La familia de Pascual Duarte», Fotos* (18 de julio de 1943).

[62] Cito por CJC, «Andanzas europeas y americanas de Pascual Duarte y su familia», *OC,* t. I, pág. 560.

[63] *Ibídem.*

presenté al Premio Nacional de Literatura José Antonio
Primo de Rivera, en 1943, me devolvieron el ejemplar sin
abrir [64].

Algunos premios llegaron luego. El Nobel en 1989. Cela no
se ha ahogado ni en los turbios trampales ni en los traidores
regatos de la vida literaria. Brillante y amargo, sagaz y grotesco, intrahistóricamente español y entreverado de universa-
lidad galaica y mediterránea, no ha seguido nunca la fórmula
de Beaumarchais [65], y, en cambio, ha llegado a todo, bueno, a
casi todo, porque esperamos para pronto la «crónica verdadera» de la segunda mitad de su existencia y, ¡de una puñetera
vez!, la novela *Madera de boj*.

EL PRIMER CAMILO JOSÉ CELA Y EL ARTE DE NOVELAR

> La vida no precisa teorías para presentarse, ser y desapare-
> cer [...] Al arte de la novela es probable que le acontezca lo
> mismo y querer aplicar normas a su desarrollo, no pasa de ser
> un sueño burocrático o mesiánico.
>
> CAMILO JOSÉ CELA, 1968

El buen lector deberá atender especialmente a los textos en
los que el primer Cela —de modo convencional hasta la publicación del tomo VII de sus *Obras Completas* (Barcelona, Destino, 1969), que es la fecha también de la primera edición de

---

[64] CJC, «*La familia de Pascual Duarte,* 1942-1982», *Los Cuadernos del
Norte,* 15 (1982), pág. 3.
[65] Aludió a dicha fórmula en «Sobre los premios literarios» *(Correo Literario,* 15 de mayo de 1952): «Beaumarchais daba la fórmula para subir: sé
mediocre y rastrero —decía con más amargura que cinismo— y llegarás a
todo. Pero el escritor tampoco debe olvidar que ese "llegar a todo" es algo
bastante parecido a no llegar a lado alguno» (CJC, *OC,* t. XII, *Glosa del
mundo en torno,* pág. 24).

San Camilo, 1936 (Madrid, Alfaguara, 1969), aunque, como se verá, la mayoría son de las décadas de los cuarenta y los cincuenta— ha teorizado a propósito de la novela[66].

Quien, con dos obras maestras de obligada referencia —LA FAMILIA DE PASCUAL DUARTE y *La colmena*— se consideraba en 1953, «el más importante novelista español desde el 98»[67], estuvo preocupado desde bien temprano por varias cuestiones que afectan al arte de la novela: su naturaleza y carácter, su significado histórico, su preceptiva y su relación con el hombre, con la vida y con el mundo en torno. A esas preocupaciones, circunscritas básicamente a la década de los cuarenta, atienden las páginas que siguen.

Vaya por adelantado que Cela descree de las encorsetadas teorías universales de la novela, pese a reconocer —y así lo

---

[66] A renglón seguido se dan los más importantes, indicando la fecha de su primera publicación y el tomo de las incompletas *Obras Completas* en el que se pueden localizar.
• [Febrero de 1943] «Algunas notas en torno al concepto de novela», *OC,* t. IX, págs. 82-85.
• [20 y 27 de mayo de 1943] «Estética de la novela en Miguel de Unamuno», *OC,* t. IX, págs. 100-111.
• [24 de septiembre de 1944] «Viejos personajes eternos», *OC,* t. IX, págs. 141-143.
• [1944] «Autobiografía Estética. Bibliografía»; *OC,* t. I, págs. 534-535.
• [16 de enero de 1945] «Idilios y fantasías», *OC,* t. IX, págs. 123-126.
• [15 de mayo de 1947] «A vuelta con la novela», *OC,* t. XII, págs. 757-763.
• [1947] «Notas para un prólogo»; *OC,* t. I, págs. 542-547.
• [11 de enero de 1948] «El arte de la ficción», *OC,* t. XII, págs. 322-324.
• [Marzo de 1951] «La galera de la literatura», *OC,* t. XII, págs. 764-782.
• [15 de abril de 1952] «Sobre los tremendismos»; *OC,* t. XII, págs. 17-20.
• [1 de mayo de 1952] «Sobre las artes de novelar»; *OC,* t. XII, págs. 13-16.
• [15 de octubre de 1952] «Elogio del mirón»; *OC,* t. X, págs. 224-227.
• [1953] *«Mrs. Caldwell habla con su hijo.* Algunas palabras al que leyere».
• [1953] *«Mrs. Caldwell habla con su hijo.* La cabeza, la geometría y el corazón», *OC,* t. VII, págs. 363-374.
• [1969] *«La catira.* Mínimas cogitaciones sobre el argumento», *OC,* t. VII, págs. 585-587.
• [1969] «La comba de la novela y estrambote didáctico para escarnio de malintencionados», *OC,* t. VII, págs. 9-30.
[67] CJC, «Breve autobiografía del inventor», *Baraja de invenciones* (1953), *OC,* t. II, pág. 543.

hace en «Mínimas cogitaciones sobre el argumento» (1969)—
que existen «preceptos clásicos sobre el género»[68], lo que
no quiere decir que adquieran valor en cualquier medio o en
cualquier momento. Más que reglas genéricas o una preceptiva
incontaminada por el tiempo o por el proceso histórico, lo que
reconoce son autores y obras con valor perenne y universal.
Así, dentro de lo que él llama «novela novelesca» (¡otra vez el
adjetivo de la famosa polémica de 1891!), y que no es sino
una novela de corte decimonónico, es decir, calculadas cons-
trucciones de mundos en miniatura (según la afortunada expresión de Stephen Gilman), sus universos preferidos son, en
la tradición española, Galdós, *La Regenta* o cualquier novela
de Baroja[69], y, en el ámbito europeo (hablamos de la década
de los cuarenta), Balzac, Stendhal, Dickens y Dostoievski[70].
Desde distintas estéticas y desde diferentes morfologías se
puede construir la novela, porque, al modo de la aguda reflexión de Mijaíl M. Bajtín («El género es siempre el mismo y
otro simultáneamente, siempre es viejo y nuevo, renace y se
renueva en cada etapa del desarrollo literario y en cada indivi-
dualidad de un género determinado»)[71], Cela cree que lo importante es entender las leyes históricas del funcionamiento de
los géneros y no admitir, dogmatizando con una fe ciega, un
apriorístico orden de los géneros:

> El cronista insiste en su vieja idea de que admitir una
> apriorística ordenación de los géneros y, lo que es más grave,
> sacar de ella rígidas consecuencias a ultranza, sería algo tan

---

[68] CJC, «Mínimas cogitaciones sobre el argumento» (1969), *OC,* t. VII,
pág. 585.
[69] *Ibídem,* pág. 587.
[70] Cf. «Algunas notas sobre el concepto de novela», *OC,* t. IX, *Glosa del
mundo en torno,* pág. 83.
[71] Mijaíl M. Bajtín, *Problemas de la estética de Dostoievski,* México,
Fondo de Cultura Económica, 1988, pág. 150. En límites semejantes se mue-
ven las reflexiones de Philippe Lejeune, *Le pacte autobiographique,* París,
Du Seuil, 1975, pág. 329.

disparatado como medir a las mujeres por el tamaño o el nombre de pila. No se puede asegurar: «Me gustan las tragedias en verso y en tres actos» por la misma razón que no se puede decir: «Me gustan las mujeres que se llaman Juana y tienen un metro y setenta centímetros de estatura». La tragedia —en verso y en tres actos— puede, además, ser lamentable, y la mujer —Juana y con los palmos precisos— puede, de paso, ser sexagenaria, calva y tartaja.

Inversamente sí se puede decir con toda lógica: «Me gusta la literatura» o «Me gusta la mujer» y responder, si alguien preguntara qué clase de literatura o qué clase de mujer: «Me gusta la literatura buena, que me distraiga» o «me gusta la mujer bonita, que me cautive». Y siempre, como es natural, al margen de etiquetas previas[72].

Cela descree de los caminos trazados alrededor de estéticas útiles, torpes o convencionales, para, en cambio, creer en la novela —que no es una charada, sino una actitud— y su función primordial: contar una fábula mediante el discurso narrativo que el novelista juzgue más atinado para, con la máscara de la ficción, transparentar el latido hondo e indomeñable de la vida:

> Se trata de definir un género literario probablemente viejo como el mundo, que le llamamos novela para entendernos al hablar, pero que no sabemos, insisto, lo que es. Quizá lo que pudiera servir de denominador común a todo lo que por novela conocemos —el contar— pudiera llevarnos a un primer golpe de vista sobre el problema[73].

Esta comprensión nada dogmática de la novela *(le roman, ce parvenu),* curiosamente cercana a la opinión que Maupassant expresó en el importante prólogo «Le roman» a su no-

---

[72] CJC, «Algo sobre el género y los géneros», *La Voz del Sur* (Cádiz, 4 de junio de 1949), *OC,* t. XII, *Glosa del mundo en torno,* págs. 244-245.

[73] CJC, «A vueltas con la novela», *Ínsula* (15 de mayo de 1947), *OC,* t. XII, *Glosa del mundo en torno,* págs. 762-763.

vela *Pierre et Jean*[74], donde sostenía que la crítica, que tras
la lectura de *Don Quijote, Werther, Clarisa Harlowe, Cándido, René, Le père Goriot, Le rouge et le noir, Madame Bovary, L'assomoir* o *Sapho,* fuese capaz de distinguir lo que
era o no era novela, en vez de pruebas de perspicacia, las daría de incompetencia, le ha permitido a Cela, además de un
acuerdo sustancial con Pío Baroja, una distancia irónica y
una humorización grotesca sobre lo que se entiende convencionalmente como la ley básica de la novela. Tal es el sentido, por ejemplo, de unas interesantes páginas metafictivas
de *Café de artistas* (1953), que a juzgar por una nota del autor tienen un trasfondo autobiográfico, en las que Cirilo, un
aprendiz de novelista, se ve anonadado por don Serafín, el
editor, que le señala los tres elementos tradicionales y esenciales de la novela:

> Planteamiento, nudo y desenlace. Sin planteamiento, nudo
> y desenlace, por más vueltas que usted quiera darle, no hay
> novela; hay, ¿quiere usted que se lo diga? [...] —Pues no hay
> nada, para que lo sepa. Hay, ¡fraude y modernismos![75].

Cirilo acepta las recomendaciones del editor y cuidadosamente se replantea su quehacer creador: método y apelación a
la tradición son los compañeros de viaje. La carcajada irónica
de Cela es evidente al contar anécdotas como las que siguen.
La primera nace de la meditación de Cirilo:

> —Sí, don Serafín tiene razón. Sin planteamiento, nudo y
> desenlace, no hay novela. Dostoievski lo primero que hacía
> era apuntar en un cuaderno eso del planteamiento, del nudo y
> del desenlace. Después se ponía a escribir todo seguido y la
> cosa salía sola. Sus críticos siempre señalan lo cuidadoso que

---

[74] Cf. Guy de Maupassant, «Le roman» (1887), *Pierre et Jean* (ed. B. Pingaud), París, Gallimard, 1982, pág. 46.

[75] CJC, *Café de artistas* (1953), *OC,* t. III, cap. II, pág. 630.

era. Su señora le decía: Fiodor Mijailovich, ¿qué tal va el nudo?, y Dostoievski le respondía: bien, María Dmitrievna, parece que va bastante bien[76].

Ya dócil y disciplinado, todo va viento en popa. La burla de Cela a la vez lacera y ejemplariza:

> Cirilo había estudiado la carrera de comercio y era muy meticuloso. Cervantes también era muy meticuloso; de él era aquella famosa anécdota de... ¡bueno, de lo que fuera![77]

Es la cara opuesta, la grotesca, la que surge de la alocución barojiana a sus muñecos en el pasaje final del «Prólogo casi doctrinal sobre la novela» con el que abrió, en polémica con Ortega, su novela de 1925, *La nave de los locos:*

> Saltaremos por encima de las tres unidades clásicas a la torera; el autor tomará la palabra cuando le parezca, oportuna e inoportunamente; cantaremos unas veces el *Tantum ergo* y otras veces el *Ça ira;* haremos todas las extravagancias y nos permitiremos todas las libertades[78].

De lo sintéticamente expuesto se deduce que Cela entiende la novela como un género proteico, que permite en su seno numerosas voces y ecos, diferentes temporalizaciones y modelizaciones, como él mismo dejó dicho al examinar su andadura narrativa en el importante atrio de 1953 a *Mrs. Caldwell habla con su hijo.* Atendiendo al mandato de acercar a quien siga esta introducción al ánimo clasificatorio, en reconocido papel de ponente que informa, se puede extraer lo dicho por el maestro gallego en 1953:

---

[76] CJC, *Café de artistas* (1953) *OC*, t. III, cap. IV, pág. 642.
[77] *Ibídem,* cap. IV, pág. 644.
[78] Pío Baroja, «Prólogo casi doctrinal sobre la novela», *La nave de los locos* (ed. Francisco Flores Arroyuelo), Madrid, Caro Raggio-Cátedra, 1987, pág. 94.

Pascual Duarte es una novela lineal, escrita en primera persona, que abarca toda una intensa vida.

Pabellón de reposo es más bien una novela ensamblada, como los pisos de parquet, escrita también en primera persona, desde los diversos ángulos de cada uno de sus personajes, y en la que no se atiende sino a los estertores, a las últimas luces de cada candil.

En el *Lazarillo,* una novela calendario, sigo con la primera persona y me ocupo del despertar de mi pícaro hasta su oficial consideración de hombre, hasta su entrada en el cuartel para servir al rey.

En *La colmena* salto a la tercera persona [...] es una novela reloj, una novela hecha de múltiples ruedas y piececitas que se precisan las unas a las otras para que aquello marche. [...]

En *Mrs. Caldwell* intento, hasta donde pensé que pudiera hacerlo sin riesgo de confundir al lector, usar la segunda persona[79].

A lo que se ve, este singular creador, que tanto y tan subterráneamente ha influido en el quehacer de los narradores de la segunda mitad del siglo (desde Ignacio Aldecoa a Rosa Montero), utilizó en su primer decenio de novelista varias recetas, cuya sombra recorre alargadamente la narrativa española de esos y de los posteriores años: PASCUAL es la acción desde la confesión, *Pabellón de reposo* es la inacción desde la confesión, *Nuevas andanzas y desventuras de Lazarillo de Tormes* es el palimpsesto desde la confesión, *La colmena* es la mediocridad, la vulgaridad, lo gris y lo tibio, de una sociedad y de una ciudad desde la crónica untada de confesión, y *Mrs. Caldwell* es un doloroso esfuerzo poético desde la confesión.

Con idéntico ademán clasificatorio y con su habitual sagacidad, Gonzalo Sobejano ha indicado, primero en 1990[80] y

---

[79]   CJC, «Algunas palabras al que leyere», *OC,* t. VII, págs. 976-977.

[80]   Gonzalo Sobejano, «Cela y la renovación de la novela», *Ínsula,* 518-519 (1990), pág. 66.

después en 1992[81], que ante las once novelas publicadas por Cela cabían tres modelos en lo que atañe a discurso del relato. Cuatro corresponden al modelo de *confesión* («un personaje refiere su vida o expresa su estado de ánimo a otro u otros»): son las novelas de la década de los cuarenta más *Mrs. Caldwell.* Tres adoptan el modelo de *crónica* («panorama narrativo-descriptivo de una colectividad»): son *La colmena, La catira* y *Tobogán de hambrientos.* Tres ilustran el modelo de *letanía* («dentro del marco de una confesión individual se configura una más o menos vasta crónica colectiva a través de la cual la voz confesional demanda misericordia para el hablante y para ese mundo colectivo —inmisericorde— que él mismo habita, contempla y va haciendo aparecer a través de su soliloquio»): son *San Camilo, 1936, Oficio de tinieblas 5, Mazurca para dos muertos* y *Cristo versus Arizona.* Estando fundamentalmente de acuerdo con el profesor Sobejano, quiero subrayar que la arquitectura narrativa de Cela —cuya metáfora viva es el amor o el desamor— está troncalmente edificada por el andamio de la confesión y, especialmente, de su fuente, la memoria. La memoria enfurecida nutre las páginas de *San Camilo, 1936;* no es otro el alimento de las mónadas, o lo que es uno, o la identificación de uno mismo, de *Oficio de tinieblas 5;* «elegía memorial» es *Mazurca para dos muertos,* donde se apela desde lo histórico y lo intrahistórico, desde lo cotidiano y lo mítico a la memoria, capaz de diseñar la única y plausible posibilidad de convivencia.

La memoria es una potencia del alma que anuda toda la obra de Cela. Y la memoria se materializa en dos dimensiones: la duración y la novela. En el primer caso, Cela ha aceptado plenamente la reflexión de Bergson según la cual, el yo no es más que la condensación de la historia que hemos vivido, el presente del yo está conformado con la continua co-presencia del pasado. El gran filósofo francés escribió en *L'évolution créatrice* (1907):

---

[81]   Gonzalo Sobejano, «Prólogo» a CJC, *La colmena,* Madrid, Alianza, 1992, pág. 25.

> Que sommes-nous, en effet, qu'est-ce que notre *caractère,* sinon la condensation de l'histoire que nous avons vécue depuis notre naissance, avant notre naissance même, puisque nous apportons avec nous des dispositions prénatales? Sans doute nous ne pensons qu'avec une petite partie de notre passé; mais c'est avec notre passé tout entier, y compris notre courbure d' âme originelle, que nous désirons, voulons, agissons. Notre passé se manifeste donc intégralement à nous par sa poussée et sous forme de tendance, quoiqu'une faible part seulement en devienne représentation [82].

Cela, como otros grandes novelistas del siglo XX (Marcel Proust y William Faulkner a la cabeza), ha recogido el guante y ha conformado su obra desde la convicción, expresada ya en el «Prólogo en forma de aparente divagación» a *La rosa* y expuesta de nuevo en «Algunas advertencias necesarias» (introducción al segundo tomo de la «crónica verdadera»), de que con la memoria se convive o se malvive porque es una de las estructuras fundacionales del yo. La peculiaridad de la postura de Cela tiene raigambre clásica, ciceroniana: la memoria es la fuente del dolor, tal como rezaba el título de un cuento que publicó en 1950 y que posteriormente recogió en *Baraja de invenciones* (1953), recordado expresamente, junto a Cicerón, en el mencionado prólogo a *La rosa.*

La duración, el continuar siendo, se nutre de la memoria y deviene en temporalidad y en novela (también en un discurso

---

[82] Henri Bergson, *L'évolution créatrice,* París, PUF (Quadrige), 1986, pág. 5. Doy la traducción española: «En efecto, ¿qué somos nosotros, qué es nuestro *carácter* sino la condensación de la historia que hemos vivido desde nuestro nacimiento, antes de nuestro nacimiento incluso, dado que llevamos con nosotros disposiciones prenatales? Sin duda, no pensamos más que con una pequeña parte de nuestro pasado; pero es con nuestro pasado entero, incluida nuestra curvatura de alma original, como deseamos, queremos, actuamos. Nuestro pasado se manifiesta por tanto íntegramente en nosotros por su impulso y en forma de tendencia, aunque sólo una débil parte se convierta en representación» [H. Bergson, *Memoria y vida* (textos escogidos por Gilles Deleuze y traducidos por Mauro Armiño), Madrid, Alianza, 1977, pág. 48].

factual que encuentra su cauce en los dos libros de memorias). LA FAMILIA DE PASCUAL DUARTE, su primera novela, es ya un mojón insustituible para la comprensión de su arte narrativo, hondamente preocupado por el tiempo [83] y por la memoria amasada en la amargura y el dolor. Además, mediante la memoria se puede iluminar un momento histórico determinado con más transparencia que por medio de la reconstrucción histórica. En cierto modo, la memoria que constituye parte de la vividura puede dibujar más intensamente la morada vital, la intrahistoria de una colectividad, de un medio y de un momento. Intensamente bronca y amarga la confesión de Pascual, la memoria de Pascual y sus añadidos textuales (constitutivos de la novela) revelan la intrahistoria latente de una colectividad que, abocada a la guerra civil, la hizo morada vital durante tres años. Este nieto del 98 se acercó tanto en su primera novela como en la genial creación del apunte carpetovetónico al descubrimiento de los factores que delimitaban la vividura y configuraban la morada vital del hombre ibérico. Ningún otro sentido tiene su rigurosa afirmación del ensayo «Fauna carpetovetónica» (1949):

> Aun a riesgo de caer en el tipismo —que tampoco, bien mirado, habría de considerarse una desgracia— merecería la pena pararse un punto a clasificar nuestra fauna humana: esa esquina en la que un Cardenal Cisneros puede nacer al lado de un Pascual Duarte, un Hernán Cortés a la vera de un Lagartijo, una reina Isabel a orillas de una Chelito, y un Cid Campeador codo con codo con un Tomás de Antequera y perdón por la manera de señalar.
>
> Si la variedad es la riqueza —como parece bastante probable— nuestra fauna humana, nuestra hirsuta y violenta fauna carpetovetónica, podría hacernos riquísimos de sugerencias [84].

---

[83]   Recordaré que tanto en artículos como en cuentos el primer Cela ha abordado una y otra vez el mundo del reloj y sus alrededores. Quede enunciada esta querencia.

[84]   CJC, «Fauna carpetovetónica», *La Voz del Sur* (Cádiz, 25 de septiembre de 1949), *OC*, t. III, pág. 32.

De esa fauna hispánica y de la experiencia, de la vivencia, de la guerra civil nace el PASCUAL. Por ello, salvando el escalofriante e inexacto primer adjetivo que el fascista Giménez Caballero emplea para calificar a Extremadura, lo importante es que su juicio delimita con fidelidad la *intentio auctoris* del PASCUAL. Dice Giménez Caballero del arte de Cela:

> Su ojo crudo y sin pestañear de legionario había descubierto no sólo la Extremadura roja, ibérica, atroz, sino también aquella que fue riñón de conquistadores americanos, con entrañas rapaces e insaciables. En *Pascual Duarte* revivía un anhelo inextinguido de botín y sangre, de crueldad, muerte y posesión [85].

Si PASCUAL DUARTE es un síntoma, pautado en drama rural, de la alucinante intrahistoria primitiva de España que desembocó en la guerra civil, en plena posguerra oficial y victoriosa. Si PASCUAL DUARTE —como ha escrito Francisco Umbral— «huele a España negra y a derrota» [86], es porque el latigazo instintivo de Cela, la memoria desaforada y amarga, le impulsaron a plasmar una morada vital cuya agónica y trágica configuración se acababa no sólo de plasmar, sino de vivir, dramáticamente. Por otra parte, desde el insuficiente reino de las ideas Cela también acabó por saberlo:

> Esta característica de la guerra civil latiendo en cada pecho, es una de las determinantes más concretas del español y uno de los prismas a cuya luz puede verse, con mayor claridad, aquello que llamamos lo español. La discordia civil, esa cruenta e impolítica maldición que pesa sobre España, anida como un fiero aguilucho en los más recónditos entresijos de cada español que, cuando no está contento consigo mismo, se pelea consigo mismo en el espejo de los demás [87].

---

[85] Ernesto Giménez Caballero, «Vagabundeo por la picaresca», pág. 939.
[86] Francisco Umbral, *Las palabras de la tribu,* pág. 342.
[87] CJC, «Sobre España, los españoles y lo español» (1959), *OC,* t. XII, *Glosa del mundo en torno,* pág. 619.

Aceptar el fundamental papel de la memoria y el camino de la confesión supone entender la novela como un objeto estético fuertemente apegado a la vida y a la morada vital de una colectividad.

Ese objeto estético debe reunir una serie de cualidades que en la inmediata posguerra Cela se encargó reiteradamente de repetir, a la búsqueda del eslabón que uniese el quehacer contemporáneo con la narrativa del 98: «La gran laguna en la novela española, que viene desde el 98 hasta (¿hasta dónde, Dios mío?) está llena de náufragos equilibristas» [88]. Al margen de los náufragos equilibristas (¿los novelistas de *Nova novorum* y sus descendientes, los imitadores de la novela proletaria...?), el primer Cela postula una novela cuyo andamiaje de objeto estético esté oculto a los ojos del lector, y por supuesto, que no defienda expresamente tesis alguna. La novela no es la teoría, no es un alrededor estético, es la cosa misma, en la que deben estar encarnados todas las premisas y postulados que la originaron. En varias ocasiones en la inmediata posguerra el autor del PASCUAL lo señaló, echando mano de una cita de Marcel Proust que le parecía meridianamente transparente. En marzo de 1943 y en «Algunas notas en torno al concepto de novela» ya formula esa idea que repite en mayo de ese mismo año, al estudiar la estética de la novela de Miguel de Unamuno, comenzando una serie de estudios acerca de la estética de la novela que quedaron nonatos:

> La novela, nadie debe olvidarlo, tiene como último y más importante fin la distracción del lector, su solaz, jamás la demostración de este o de aquel otro postulado estético, premisa que lleva implícita la obra narrativa, pero que, como el andamiaje, ya lo dije en cierta ocasión, no deberá aparecer a la vista una vez concluida [89].

---

[88] CJC, «Algunas notas en torno al concepto de novela» (1943), *OC*, t. IX, pág. 85.
[89] CJC, «Estética de la novela en Miguel de Unamuno», *Arriba* (20 de mayo de 1943), *OC*, t. IX, págs. 101-102.

Esta idea, según la cual la novela debe presentarse al público sin las tablas de sus andamios visibles, encuentra acomodo en el apartado segundo de las importantes «Notas para un prólogo» que preceden a la edición de 1947 de *El bonito crimen del carabinero y otras invenciones* (1947):

> Procurar que sea novela —o sus hermanos menores, el cuento y la narración—, no el nombre que damos a la cosa, sino la cosa misma. Estimo que, quien crea lo contrario, va por el mal camino que lleva al primero, al andarse por las ramas. Digo también que no es novela, de otra parte, ni la manera de pensar ni el cuarto de las ideas. A Proust debemos algo tan claro como el mismo día: *une oeuvre où il y a de théories est comme un objet sur lequel on laisse la marque du prix*[90].

Idea la de ocultar la arquitectura de la novela en la que Cela sigue a pie juntillas la reflexión orteguiana acerca de la autenticidad de la narrativa de Dostoievski frente a la de Balzac. Recordemos el pasaje de *Ideas sobre la novela* (1924-1925):

> Porque la novela exige —a diferencia de otros géneros poéticos— que no se la perciba como tal novela, que no se vea el telón de boca ni las tablas del escenario. Balzac, leído hoy, nos despierta de nuestro ensueño novelesco a cada página, porque nos golpeamos contra su andamiaje de novelista[91].

Enmascarando sus propios entresijos, sin alardear de su condición de artilugio, el segundo rasgo de la novela es su carácter de «ámbito vital cerrado», que el novelista acota y en el que bucea explorándolo hasta agotarlo. En dos ocasiones Cela expone esta idea, que dice tomar prestada de una carta de Fernando Vela. La primera es con motivo del artículo «Algunas notas en torno al concepto de novela»:

---

[90]   CJC, «Notas para un prólogo», *OC*, t. I, pág. 543.
[91]   José Ortega y Gasset, «Dostoiewsky y Proust», *Ideas sobre la novela, OC*, Madrid, Alianza-Revista de Occidente, 1983, t. III, pág. 402.

Un amigo mío me decía un día en una carta lo siguiente: novela es la descripción de un círculo completo de vida, de un horizonte vital cerrado, sin huecos ni vacíos, como es el que realmente rodea a cada uno de nosotros [92].

La segunda referencia se encuentra en su ensayo de *Ínsula*, «A vueltas con la novela» (15 de mayo de 1947) en el que menciona a Fernando Vela como autor de esa reflexión, tras examinar los conceptos de novela expresados por Valle, Unamuno, Baroja, Azorín, Miró, Pérez de Ayala y Ramón Gómez de la Serna, seguramente los mojones del camino estético que sus artículos nonatos iban a recorrer.

Precisamente de este examen y de otros trabajos paralelos se deduce la profunda simpatía y el notable acuerdo del primer Cela con el arte de hacer novelas de Baroja, en especial por el ideario vertido en el prólogo a *La nave de los locos,* texto esencial de su polémica con Ortega a propósito del ensayo *Ideas sobre la novela.* Afinidad barojiana que, sin embargo, no le hace renegar de las postulaciones orteguianas (piénsese que mientras el PASCUAL tiene una indiscutible ascendencia barojiana, *Pabellón de reposo* engarza mejor con el ideario orteguiano de 1925), pues el joven novelista gallego, que anda a la forja de un camino propio, sigue deslumbrado por el pensamiento de Ortega, pese a sentirse sentimentalmente más cerca del modo barojiano de proceder como novelista. De ahí esta curiosa mezcolanza de Ortega y Baroja que anida en el primer Cela: Ortega es el artífice de ciertos planteamientos y de ciertas estrategias estéticas, mientras Baroja es el río en el que mirar el fluir de la vida en la novela, la encarnadura de la vida en el tejido narrativo.

De otra parte, no conviene leer la polémica de 1925 como la exposición radicalmente enfrentada de unos idearios absolutamente impermeables. Por ello voy a utilizar para la síntesis del debate un texto olvidado de Azorín que me parece una pru-

---

[92]   CJC, «Algunas notas en torno al concepto de novela», *OC,* t. IX, pág. 83.

dente exposición de la que se puede deducir la no siempre armoniosa familiaridad de Cela con Baroja. El novelista vasco había resumido en tres proposiciones la doctrina de Ortega:

> La novela tiene que estar encajada en las tres unidades clásicas, hallarse aislada, como metida en un marco bien definido y cerrado.
> La novela debe vivir en un ambiente muy limitado, debe ser un género lento, moroso, de escasa acción; tiene, por tanto, que presentar pocas figuras, y éstas muy perfiladas.
> El novelista no puede aspirar, según nuestro dogmatizador, a inventar una fábula nueva, y su única defensa será la manera, la perfección y la técnica[93].

Baroja, es sabido, impugna los tres presupuestos orteguianos. En cuanto al primero, considera legítima la opción de Ortega, es decir, la novela que se concreta a un espacio limpio, claro y preciso, pero sólo atisba la posibilidad y no el camino para realizarla. En este sentido, «el espacio acotado» que Cela toma prestado de Fernando Vela suena a Ortega, pero al insistir en lo vital, «ámbito vital cerrado» (nada ajeno, por cierto a Ortega), se acerca a los caminos barojianos expresados en 1925, y que encontraban el paradigma adecuado en Dostoievski, quien no encierra la vida en un círculo de luz: «La vida es vasta —es la glosa de Baroja por Azorín—, tumultuosa, varia, contradictoria, asimétrica. Y así debe ser la novela»[94]. A resultas de ello, y por paradójico que parezca (la historia de los sistemas literarios o las diacronías de las intertextualidades a menudo lo son), el primer Cela, especialmente el anterior a *La colmena,* modela su concepto de novela desde Ortega —vía Fernando Vela— pero inyecta en ese diseño el

---

[93]   Pío Baroja, «Fórmulas del ensayista», «Prólogo casi doctrinal sobre la novela», *La nave de los locos,* pág. 69. Cf. Azorín, «Debate sobre la novela», *La Prensa* (Buenos Aires, 5 de julio de 1925).

[94]   Azorín, «Debate sobre la novela», *La Prensa* (Buenos Aires, 5 de julio de 1925).

latido bronco o risueño, amargo o dulce, de la vida. Así cuando en su primera reflexión teórica acerca de la novela (febrero de 1943) tomaba el préstamo de Fernando Vela, y establecía la comparación de la novela con la vida del niño —un ciclo completo—, añadía, en una matización que carece de desperdicio:

> La vida del niño, por poco que el niño dure, es siempre un ciclo, un ciclo completo: el niño nace, crece, se muere. Además, llora, ríe, mama, se orina...[95]

La claridad y la serenidad tienen el contrapunto de la vida, porque sin su mímesis no hay novela. Si Baroja le espetaba a Ortega que él, que había empezado su vida cuando triunfaban en la novela Tolstoi, Zola y Dostoievski, «apóstoles de la literatura social» —en términos barojianos—, no podía hacer obras limpias y serenas, Cela, que inicia su andadura narrativa en los inciertos y dolorosos tiempos del PASCUAL, tampoco entreveía esa posibilidad. En ello radica la simpatía sentimental que el joven escritor gallego profesa por el novelista vasco, que se hace palpable en numerosos textos de los años cuarenta. En un artículo, «Idilios y fantasías», publicado en *Arriba* (16 de enero de 1945), alrededor de Baroja y de las glosas azorinianas (en *Lecturas españolas* y *El paisaje de España visto por los españoles)* de su compañero de generación, Cela recuerda el trabajo barojiano *Sobre la manera de escribir novelas,* que ocupa el capítulo once del libro primero de *Las horas solitarias* (1918) y que lleva el significativo subtítulo de «Notas de un aprendiz de psicólogo». Dice Cela:

> En un trabajo recogido en *Las horas solitarias,* en un trabajo que don Pío llamó *Sobre la manera de escribir novelas,* nos afirmaba nuestro hombre que la cuestión es tener vida, fi-

---

[95] CJC, «Algunas notas en torno al concepto de novela», *OC,* t. IX, *Glosa del mundo en torno,* pág. 83.

bra, energía o romanticismo, o sentimiento, o algo que hay que tener, pero que no se adquiere. Yo creo que estas palabras, tan claras y tan sencillas, resumen todo el profundo pensar de un novelista sobre la novela. Contra la muerta, la fría, la blanda literatura que se sacan con fórceps de la cabeza quienes jamás han logrado un parto normal, estas palabras vienen a sernos como una esperanza de que la recta senda vuelva, una vez más, a recorrerse[96].

Reflexión barojiana que Cela acoge como una esperanza de la recta senda que la novela de posguerra debe recorrer: era el engarce deseado con el 98, era su camino de novelista. Además, la querencia que el primer Cela mantiene por el acento barojiano se transparenta aún más si cabe en el artículo «Algo sobre el género y los géneros», publicado en el semanario gaditano *La Voz del Sur* (26 de junio de 1949):

Pío Baroja tiene madera de premio Nobel, tiene cien libros publicados, tiene todo un mundo para su uso personal, un mundo desbordado, proteico, tumultuoso, un mundo barojiano e impar, un mundo de arbitristas, de navegantes, de conspiradores, de misteriosas damas desgraciadas, de jóvenes a quienes el planeta les viene corto, y estrecho e insuficiente. Pío Baroja habla como un río que no cesa[97].

Palabras en las que resuena la afirmación barojiana del «Prólogo» a *La nave de los locos:* «La novela, hoy por hoy, es un género multiforme, proteico, en formación, en fermentación; lo abarca todo: el libro filosófico, el libro psicológico, la

---

[96] CJC, «Idilios y fantasías», *OC,* t. IX, *Glosa del mundo en torno,* págs. 125-126. Aprovecho la ocasión para lamentar el escaso rigor de la *Guía de Pío Baroja (El mundo barojiano)* (ed. Pío Caro Baroja), Madrid, Cátedra, 1987. En este tomo se puede leer equivocadamente en la página 151: *«Las horas solitarias* (Notas de un aprendiz de filósofo)». La voluntad barojiana no era ésa.

[97] CJC, «Algo sobre el género y los géneros», *OC,* t. XII, *Glosa del mundo en torno,* pág. 247.

aventura, la utopía, lo épico; todo absolutamente»[98]. Y palabras que, a su vez, tienen prolongación en otros textos del propio Cela, como los dos fragmentos que extracto de las «Notas para un prólogo» (1947). En el primero alude a la novela como río que no cesa, a su sustancial dinamismo impregnado del ritmo de la vida; idea que dimana del segundo postulado orteguiano expuesto e impugnado por Baroja:

> Tiembla en la novela la sustancia misma de la vida, como tiembla en el río la esencia misma del movimiento. En tanto que camina la vida, cabe pensar que las páginas que caminen a su ritmo son las páginas de una novela[99].

En el segundo insiste en el oficio sin metro del novelista, oficio cuya finalidad primordial es captar lo radicalmente vital, sin disecarlo ni empequeñecerlo, es aprehender el ruido y la furia de la vida, hacer temblar en el relato la sombra misma del hombre:

> Ir a remolque, hablar como se habla, respirar como respiran los que están vivos y acaban por dejar de respirar. Coger la vida y estrujarla contra nuestro corazón. He ahí la labor del novelista[100].

Como acabamos de señalar, Cela reniega de la morosidad, de la lentitud y de la escasa acción de la novela como único método narrativo: ni siquiera puede entenderse por completo

---

[98] Pío Baroja, «¿Hay un tipo único de novela?», «Prólogo casi doctrinal sobre la novela» a *La nave de los locos,* pág. 72. Que no radica aquí la esencial desarmonía entre Ortega y Baroja se observa si se atiende al texto orteguiano de *Ideas sobre la novela: «Dentro* de la novela cabe casi todo: ciencia, religión, arenga, sociología, juicios estéticos, con tal que todo ello quede a la postre, desvirtuado y retenido en el interior del volumen novelesco, sin vigencia ejecutiva y última». José Ortega y Gasset, «Psicología imaginaria», *Ideas sobre la novela, OC,* t. III, pág. 418.

[99] CJC, «Notas para un prólogo», *OC,* t. I, pág. 544.

[100] *Ibídem,* pág. 547.

en el ámbito de este paradigma *Pabellón de reposo,* que, como
muy bien apuntó Darío Villanueva, es un ensayo de «la pintura de la colectividad, mediante un mosaico de anónimos en-
fermos aislados en sus celdas —como las abejas en su colmena—, pero también en contacto e interrelación [101]. En este
segundo aspecto de la clásica polémica de 1925 no cabe tampoco la síntesis de la concordia pretendida por Azorín. Aunque permeable a las reflexiones de Ortega, la posición de Cela
se acerca extraordinariamente a la barojiana, cuando don Pío,
desconfiando de la retórica y del metro (de lo que Cela llama
en la nota estética de 1944 para la antología *Novelistas españoles contemporáneos,* «fácil truco de malabarista») [102], escribe en el mencionado prólogo:

> La pesadez, la morosidad, el tiempo lento no pueden ser
> una virtud. La morosidad es antibiológica y antivital.
> Cuando se estudia Fisiología, se ve que en el cuerpo hu-
> mano hay nervios con dos y tres y más funciones; no sé si
> por eso al organismo se le llama economía, lo que no se ve
> jamás en lo vivo es que lo que se puede hacer rápidamente
> se haga con lentitud, ni que lo que pueda hacer un nervio, lo
> hagan dos [103].

La novela se atiene a la corriente de la vida, su materia es el
reflejo de la vida: tal es el ideario barojiano del primer Cela,
dibujado a pie juntillas por numerosas reflexiones. Y en este
contexto se debe entender la pasión del autor del PASCUAL por
Dostoievski, a quien, además de por sus méritos como creador
en la novela de una *forma* de la vida (lo cual no es irrelevante
ni para el PASCUAL ni para *Nada,* como dijimos), que era lo que

---

[101]   Darío Villanueva, «Introducción» a CJC, *La colmena,* Barcelona, Noguer, 1983, pág. 39. Todo lo que allí dice mi buen amigo el profesor Villanueva es relevante para la comprensión del itinerario narrativo de Cela.

[102]   CJC, «Autobiografía. Estética. Bibliografía», *OC,* t. I, pág. 534.

[103]   Pío Baroja, «La posibilidad de amplificar», «Prólogo casi doctrinal
sobre la novela» a *La nave de los locos,* pág. 85.

sostenía Ortega [104], admira y se apasiona por Dostoievski por la *materia* de la vida y por el ademán personal de su quehacer torrencial y patológico, que estima radicalmente auténtico y sincero. Como ya vimos en el primer capítulo de esta Introducción, repetidas reflexiones atestiguan su extremado aprecio por el autor de *Crimen y castigo,* al que leía en la órbita dibujada por Baroja al polemizar con Ortega:

> Haciendo una comparación un tanto ramplona, a la que era aficionado un amigo, diríamos que esta máquina poderosa que es la obra dostoievskiana, que nos asombra por su agilidad y por su temple, es como un automóvil que para mi contrincante tiène, naturalmente, un motor, pero que lo más trascendental en él es la carrocería; en cambio, a mí me parece lo contrario; para mí la obra del ruso tiene seguramente su carrocería, pero lo esencial en ella es la fuerza de su motor [105].

El primer Cela, empapado de Stendhal y Dostoievski (lo que es deuda orteguiana y barojiana), reputa especialmente la labor del novelista que sabe aprehender la vida y estrujarla contra su propio acento, al margen de cualquier ortopedia más o menos preceptiva. Y en ese cajón de sastre caben *Los Karamazov,* los *Pickwick Papers* o *Le rouge et le noir,* porque la poética narrativa del primer Cela —por sorprendente que hoy nos pueda parecer a la luz de ciertos novelistas afectados

---

[104] Cf. «No es la materia de la vida lo que constituye su realismo, sino la forma de la vida» (José Ortega y Gasset «Dostoiewsky y Proust», *Ideas sobre la novela, OC,* t. III, pág. 401).

[105] Pío Baroja, «El valor de Dostoiewsky», «Prólogo casi doctrinal sobre la novela» a *La nave de los locos,* págs. 82-83. Órbita la barojiana en la que habría de inscribirse Ricardo Baeza meses después al publicar sus trabajos críticos sobre Dostoievski. El lema más importante de su lectura del maestro ruso puede ser el siguiente: «La obra de Dostoievski es a la vez la más henchida de vida y de humanidad» [«Comprensión de Dostoiewski» (octubre de 1926), *Comprensión de Dostoiewski y otros ensayos,* Barcelona, Juventud, 193, pág. 17].

de ínfulas extrañas— dejaba suficientes rendijas para con-
templar la estética de los demás. Escribía en «A vueltas con
la novela»:

> Creer que novela es tan sólo una manera determinada de
> novela, es error en el que suelen caer con harta frecuencia los
> novelistas al tratar esta espinosa cuestión; podría disculparse
> la falta de exacta visión de la realidad de la novela, pensando
> en que las propias estéticas suelen no dejar rendija alguna por
> donde mirar las estéticas de los demás [106].

El tercer aspecto del debate de 1925 también gravita sobre
la fragua del arte de la novela del primer Cela. Baroja repro-
chaba a Ortega el que hubiese afirmado que el novelista no
puede aspirar a inventar. No hay fábulas nuevas, decía Ortega;
frente a ello, Baroja sostenía que lo verdaderamente difícil es
inventar, «y más que nada inventar personajes que tengan vida
y que nos sean necesarios, sentimentalmente por algo» [107].
Aunque Vela está sustancialmente de acuerdo con Baroja, lo
cierto es que, una vez más, sus deudas están repartidas, pues
mientras el novelista vasco no había prestado particular atención a los atenuantes finales de *Ideas sobre la novela,* el novelista gallego sí lo hizo, con una lectura orteguiana que —como
ha mostrado el profesor Antonio Vilanova a propósito del
apunte carpetovetónico— [108] es rigurosa y sorprendentemente
penetrante. Si en la creación de los apuntes carpetovetónicos
tienen una importancia capital las páginas preliminares de *El
Espectador,* me temo que en la génesis del *Pascual* y de esos
mismos apuntes tiene un decisivo valor la reflexión final de
Ideas sobre la novela, que Cela lee, al aire de su conocimiento

---

[106]   CJC, «A vueltas con la novela», *OC,* t. XII, *Glosa del mundo en
torno,* pág. 758.
[107]   Pío Baroja, «La dificultad de inventar», «Prólogo casi doctrinal sobre
la novela» a *La nave de los locos,* pág. 75.
[108]   Cf. Antonio Vilanova, «La realidad esperpéntica en Camilo José
Cela», en CJC, *Toreo de salón,* págs. 7-48.

de la literatura esperpéntica de Valle-Inclán. Decía Ortega que la novela futura no debía inventar acciones o prestar su máxima atención a la trama, sino dedicarla a «la invención de almas interesantes»: «Esta posibilidad de construir fauna espiritual es, acaso, el resorte mayor que puede manejar la novela futura» [109].

Cela, entre dos aguas, la que mana desde el 98 y la que fluye de Ortega, decidió navegar con rumbo propio: transformar la fauna espiritual orteguiana en fauna carpetovetónica —aquí la fuente valleinclaniana es indiscutible— y en esa mezcolanza se nutren los apuntes:

> El escritor ha pensado, a veces, en pararse a detallar, por lo menudo, la fauna carpetovetónica, esa olvidada esquina del reino de la naturaleza a la que ama con sus mejores deseos y a la que defiende con sus más afiladas uñas y sus más implacables dientes [110].

Pero también de esta navegación surge el PASCUAL. Las psicologías espirituales eran imposibles en 1940, porque en el hondón del alma de Cela, en los cuatro estómagos del novelista latía un dolor que era necesario encarnar. El primer Cela no sólo es consciente de su propio acento que viene —Baroja *dixit*— del fondo de la naturaleza del novelista («conozco el dolor de mi alma: siento en ella latir la congoja de mis personajes que se obstinaron, vanamente, en pasar por la vida como pájaros») [111], sino que sabía cómo plasmarla en una nueva novela que engarzaba con la gran tradición del 98. Cela tenía, a la altura de 1942, suficientes verdades entrañables y memorias amargas para no hacer equilibrios. Era necesario dar a la luz algo de su insobornable fondo sentimental de escritor:

---

[109]   José Ortega y Gasset, «Psicología imaginaria», *Ideas sobre la novela, OC,* t. III, pág. 418.
[110]   CJC, «Fauna carpetovetónica» (1949), *OC,* t. III, pág. 31.
[111]   CJC, «Notas para un prólogo» (1947), *OC,* t. I, pág. 54.

La novela precisa de una verdad entrañable, de una verdad de cuerpo entero, de una verdad muy digerida por su autor. El novelista debiera tener cuatro estómagos, como los bueyes: panza, bonete, libro y cuajar. Con un sistema así estaría siempre rumiando esa verdad y la novela saldría mejor, más acabada. Con cuatro estómagos no hay quien se atreva a hacer equilibrios[112].

En esta navegación con rumbo propio, a la que pertenecen por igual el PASCUAL y los apuntes carpetovetónicos y los primeros cuentos, tiene toda la importancia la carta de marear empeñada en descubrir la intrahistoria, la morada vital de una colectividad que acababa de atravesar una inmensa tragedia. Cela también estaba convencido de cuál era el carácter esencial de esa carta de marear, a juzgar por esta diáfana reflexión de 1947 (los artículos y las notas prologales son el auténtico cuaderno de bitácora del novelista):

Una novela es, pensémoslo bien, la fe de vida de un pueblo y de un momento, interpretados ambos literariamente. El personaje es el fedatario, nunca el documento mismo[113].

Con las arcillas sedimentadas de la vivencia y la memoria, Cela construye unos muñecos, unos títeres y un entrañable y bronco personaje que no son documentos, sino existentes que dan fe pública de una determinada morada vital, porque la intrahistoria de su pueblo patina por su sangre, es el tuétano de su existencia. Desde otra óptica, no reñida con lo que acabo de afirmar, sino complementaria, el genial novelista gallego miró y observó el latido de las tierras de España, y levantó un retablo —tragicomedias narrativas, dramas rurales— que no aceptó nunca unas reglas de composición que embelleciesen las figuras, las situaciones, los paisajes o los arrebatos. Era su

---

[112]   CJC, «Algunas notas en torno al concepto de novela», *OC,* t. IX, *Glosa del mundo en torno,* pág. 85.
[113]   CJC, «Notas para un prólogo» (1947), *OC,* t. I, pág. 544.

parto con dolor, porque como habría de escribir en 1951, a la par de la publicación de *La colmena:*

> El escritor es el notario de la conciencia de su tiempo y de su mundo, y a la conciencia hay que tomarle el pulso donde está, a ras de tierra, pegada a la corteza de la tierra, esa caja de resonancia donde se escucha, isócrono y amargo, el cruento retumbar de los corazones [114].

Era, desde los redaños de su personalidad y desde su aurora como novelista, sabedor de la áspera historia de España y aceptó —desde el PASCUAL— la recomendación barojiana: «La más sabia de las alquimias no podrá convertir nunca la emanación pútrida en un aroma embriagador» [115].

El oficio del novelista consiste en abrir la ventana de su corazón sobre cualquier paisaje vital, sobre cualquier camino aunque esté erizado de zarzas que desgarren las carnes. «El escritor es bestia de aguantes insospechados, animal de resistencia sin fin, capaz de dejarse la vida —y la reputación, y los amigos, y la familia y demás confortables zarandajas— a cambio de un fajo de cuartillas en el que pueda adivinarse su minúscula verdad» [116]. Provisto de la memoria y de la mirada, apoyándose en la renunciación y en la lealtad, el novelista quiere expresar su verdad, y para ello (Cela lo ha dejado escrito en numerosos textos de finales de los cuarenta y de principios de los cincuenta, de los que me estoy aprovechando) «nada le importa, ¡bien lo sabe Dios!, echarse en cueros vivos por el mundo abajo: esa gran catarata o, lo que es peor, ese yermo desmonte» [117]. Pero, con qué lente, con

---

[114] CJC, «La galera de la literatura», *Ínsula* (marzo de 1951), *OC,* t. XII, *Glosa del mundo en torno,* págs. 770-771.

[115] Pío Baroja, «El fondo sentimental del escritor», «Prólogo casi doctrinal sobre la novela» a *La nave de los locos,* pág. 92.

[116] CJC, «Última recapitulación», *La colmena* (1963), *OC,* t. VII, pág. 961.

[117] CJC, «Esa ventana abierta sobre cualquier paisaje», *Arriba* (5 de septiembre de 1950), *OC,* Barcelona, Destino, 1978, t. X, *Glosa del mundo en torno,* pág. 37.

qué *écran* [118], se acerca a la realidad, a la vida, al paisaje y al hombre; o dicho de otro modo, el «mirón» [119] de la ventana abierta sobre cualquier paisaje, ¿con qué espejo va pertrechado? ¿Cómo es la mímesis que, convertida en diégesis, conforma los relatos del primer Cela? He aquí el último punto que debe tratarse en este sumario acercamiento a su arte de novelar.

La estética de la narrativa del primer Cela viene determinada, en lo que al problema de la mímesis se refiere, por la breve nota que el escritor ofreció en 1944 a la antología *Novelistas españoles contemporáneos*. Decía allí, refiriéndose a la novela como reflejo artístico de la realidad:

> Quizás difiera de quienes primero hablaron de *un espejo que pasea a lo largo del camino,* en el único punto de creer, como creo, que el dicho espejo haya de ser ya cóncavo, ya convexo, para que la imagen que refleje sea, paralelamente, gorda o flaca, pequeña o larga, y siempre deformada. No juzgo que sea preferible uno al otro espejo [120].

Esta inicial reflexión muestra cómo el joven novelista, con las alforjas provistas del PASCUAL y de *Pabellón de reposo* descree de una representación artística que pretenda, con una su-

---

[118]   *Écran* (pantalla) es término que utilizó Émile Zola para referirse muy tempranamente (en 1864) a la estética de la que era partidario y desde la que iba a fraguar sus novelas. En todo proceso de creación, en toda reproducción artística, hay *écrans* que se interponen entre el ojo del creador y la creación. En toda creación hay una «deformación» por inaparente que sea. Digamos que estas consideraciones las hacía uno de los pontífices del realismo-naturalismo.

[119]   Utilizo el término tomándolo con cierta flexibilidad cronológica (es más pertinente para la estética de *La colmena* que para la del *Pascual)* del propio Cela. Cf. «El mirón —que no es el observador, ni el espectador y ni siquiera el contemplador— es el hombre con alma de árbol que necesita ver la vida de los otros hombres para poder escuchar, casi como sin querer, el tímido latido de su propio corazón» [CJC, «Elogio del mirón», *La Vanguardia* (15 de octubre de 1952), *OC,* t. X, pág. 224.

[120]   CJC, «Autobiografía. Estética. Bibliografía», *OC,* t. I, págs. 534-535.

ficiencia irrealizable, la imitación exacta mediante el lenguaje de la realidad. Esta falta de fe es la misma que profesaban Baudelaire o Zola, e idéntica a la que expresó genialmente Valle-Inclán. Hay, sin embargo, matices importantísimos. Cela se sitúa conscientemente en el camino que viene de Baudelaire y de Valle (no en el de Zola, que expresó todas sus simpatías por el filtro o *écran* realista); camino que postula que el carácter artístico se obtiene exaltando la condición fundamental de las cosas, mediante la aplicación, entre la pupila del artista o la memoria del escritor y el universo literario, de espejos cóncavos o convexos que deformen la realidad. Aplicación que, como ya indicó Baudelaire en un célebre ensayo sobre Victor Hugo [121], responde a una matemática perfecta que reclamaba Max Estrella para su quehacer en una conocida escena de *Luces de Bohemia.*

Si el esperpento es exaltar la condición de las cosas, enarcar la pierna, achular los gestos, ondular realidades, dar con la geometría oblicua y disparatada del tablado, donde se presentan cual fantoches trágicos, contrabandistas de trabuco y manta jerezana, manolas de bolero y calañés, daifas pelinegras de lunar en la mejilla, sorches repatriados, gachós de organillo averiado, pisaverdes, generales gloriosos... fauna toda ella síntesis de España como «deformación grotesca de la civilización europea», Cela, tomando el pulso a la España de la más inmediata posguerra, se decantó, más, ciertamente, en el género genial del apunte carpetovetónico que en el universo de drama rural del PASCUAL, por el camino de la deformación artística, que volvía a considerar la clave de su mímesis narrativa en el prólogo a *El bonito crimen del carabinero* (1947):

> Orientando la novela —como intento— hacia la estética del camino y su espejo, me parece ver, y así lo dije alguna

---

[121] Charles Baudelaire, *Réflexions sur quelques-uns de mes contemporains. Victor Hugo* (1861), *OC* (ed. Claude Pichois), París Gallimard (Pléiade), 1976, t. II, págs. 131-134.

vez, que para mí el espejo debe tener ciertas aguas que deformen, señalándolas indeleblemente, las imágenes reproduci-
das. Rechazo la visión literaria de las lunas planas [122].

Esta estética deformante se orienta al sórdido heroísmo de
los hombres cotidianos y a la sufriente y dolorida humanidad
que atesoran esos seres intrahistóricos, para, mediante el lenguaje, hacer temblar en el relato la sustancia misma de la vida,
de los hombres. No creo por ello acertado el reproche que el
profesor Sanz Villanueva formula al PASCUAL y a la narrativa
de Cela en general: «PASCUAL DUARTE —escribe en *Historia de
la novela social española (1942-1975)*— está afectado por
un estilismo que ya a estas alturas se ha convertido en un auténtico vicio formal, que se extiende a la obra completa de
Cela, y que poco a poco se ha ido acentuando hasta convertirse en un fuerte barroquismo (en un manierismo muy pecu-
liar del escritor) [123]. ¿Cómo manifestar esa visión deforme,
cóncava o convexa, escrutadora de realidades profundas, en la
novela? No hay otro medio que el idioma, la expresión, la lengua, y el habla española del primer Cela crea en su íntima
forma y sustancia un oportuno enlace con el momento que
vive España. O ¿era mejor y más valioso ética y artísticamente
buscar la pureza o el eclecticismo? Cela no quiso caer en la
trampa, porque aspiraba a «dar con la esencia misma de las
cosas sin pararse a explicarlo demasiado» [124], precisamente en
ese determinado tiempo histórico.

A buen seguro, en el sistema de la historia de la literatura de
la inmediata posguerra, el PASCUAL y los apuntes carpetovetónicos, el primitivismo, la brutalidad y la barbarie, pero también su doliente y mediocre humanidad, son —y permítaseme
parafrasear a don Estrafalario, el valleinclanesco títere de *Los*

---

[122]   CJC, «Notas para un prólogo» (1947), *OC,* t. I, pág. 544.
[123]   Santos Sanz Villanueva, *Historia de la novela social española (1942-
1975),* Madrid, Alhambra, 1980, t. I, pág. 258.
[124]   CJC, «Notas para un prólogo» (1947), *OC,* t. I, pág. 542.

cuernos de don Friolera— más sugestivos que toda la retórica engañosa e inocua de mucha de la restante literatura española.

LA NOVELA *LA FAMILIA DE PASCUAL DUARTE*

> El corazón del hombre es como un laberinto de mil venas de licor: la miel, la hiel, la mierda y también la sangre que brota a borbotones por el ojal del hierro.
>
> CAMILO JOSÉ CELA, 1953

La publicación en 1942 de LA FAMILIA DE PASCUAL DUARTE supone —es opinión generalizada— el punto de partida de la narrativa de posguerra. El propio Cela se ha referido en varias ocasiones al contexto en el que apareció la novela y la expectación con que fue acogida. En 1951 explicaba parte de su voluntad creadora: «Cuando un ambiente está oliendo a algo, lo que hay que hacer, para que se fijen en uno, no es tratar de oler a lo mismo sólo que más fuerte, sino, simplemente, tratar de cambiar de olor»[125]. Voluntad de originalidad que la novela indiscutiblemente posee y que ha sido siempre señuelo de su andadura narrativa, pero que se aprecia sobremanera en el primer Cela: al PASCUAL hay que sumar los apuntes carpetovetónicos y el espléndido libro —verdadera obra maestra de la literatura española— *Viaje a la Alcarria* (Madrid, Revista de Occidente, 1948).

En 1965 Cela recordaba los violentos zurriagazos de la historia, al etapa literaria que abría el PASCUAL y la feliz aparición de aquella obra: «Nuestra literatura, inmóvil como un barco encallado, se puso de nuevo en marcha y el ejemplo —el buen y el mal ejemplo— de Pascual Duarte pronto cundió»[126]. Y, en

---

[125] CJC, «Andanzas europeas y americanas de Pascual Duarte y su familia» (1951), *OC,* t. I, págs. 574-575.

[126] CJC, «La comba de la novela y estrambote didáctico para escarnio de malintencionados» (1969), *OC,* t. VII, pág. 21.

efecto, cundieron los ejemplos y el marbete de tremendismo apareció en las letras españolas de la posguerra, atribuyéndose a la obra de Cela la creación de la tal etiqueta. Sin entrar en el debate y la notable polvareda que el término levantó, voy a considerar al respecto las opiniones de Cela, en las que hay que tener en cuenta dos cuestiones previas: una, Cela acepta una determinada modalidad agresiva y sinónimamente creativa en las letras de los cuarenta; segunda, no está conforme con el cariz peyorativo de lo que se llegó a considerar en su día como una escuela literaria.

Dicho de otro modo, el marbete «tremendismo» no es más que una expresión negativa y timorata, peyorativa y huera, que puede encontrar su reflejo más cierto en algunos juicios de críticos o historiadores como Sainz de Robles, cuya calificación del tremendismo vendría de juicios como los que transcribo a continuación. El primero se refiere a la narrativa inmediatamente posterior a 1939:

> Inclinarse casi sádicamente —con excepciones escasas— hacia temas tremendistas en sus zonas de miseria y de vicio; multiplicar con verdadera obsesión los vocablos «tacos», las expresiones soeces y excrementicias [127].

El segundo atañe al PASCUAL, tras acusar a Cela de no haber inventado la escuela, pues el tremendismo ya andaba en las páginas de López Pinillos o de Hoyos y Vinent (y por qué no —la irónica observación es de quien esto escribe— en las de la picaresca o Quevedo, en las de Valle-Inclán o Baroja):

> Trátase de una narración rural, con personajes de instintos primitivos y feroces, punteada de vocablos crudísimos, con acciones bárbaras que culminan en un feroz crimen, sólo explicable entre energúmenos «cultivados» al margen de la ci-

---

[127]   Federico C. Sainz de Robles, *El espíritu y la letra. Cien años de literatura española: 1860-1960,* Madrid, Aguilar, 1966. *Ápud,* Santos Sanz Villanueva, *Historia de la novela social española (1942-1975),* t. I, pág. 44.

vilización. Demasiada loza plebeya. Demasiada pana. Demasiado cartel de feria con un suceso monstruoso, en colores crudos, para ser contado —y punteado— en voz en grito ante un coro de papanatas analfabetos [128].

Ahora bien, junto a esta faceta existió —en palabras de Cela— «aunque sin bautizar todavía, el lado positivo y noble —que también lo hay— de lo que jugando a confundir, solió y suele aún presentarse pegado, como la uña a la carne, al tremendismo» [129]. En esta ladera creativa hay que ver al PASCUAL, que únicamente así está próximo a esa órbita, en la que el pintoresquismo reemplazaba a lo esencial, y donde la crudeza no era la máscara de transparencia alguna. De ahí que ya en 1953, prologando *Mrs. Caldwell,* diagnosticara el tremendismo como un nombre estúpido sólo comparable a la estupidez que nombra y que no es otra que la receta que algunos, de modo fácil y en busca de una formalización que fuese rentable, habían sacado del PASCUAL:

> En *La familia de Pascual Duarte* quise ir al toro por los cuernos y, ni corto ni perezoso, empecé a sumar acción sobre la acción y sangre sobre la sangre y aquello quedó como un petardo. Los novelistas de receta, al ver que había tenido cierto buen éxito, el cierto buen éxito que pueda tener un libro en un país donde la gente es poco aficionada a leer, empezaron a seguir sus huellas y nació el tremendismo [130].

Posiblemente el PASCUAL jugaba a confundir, y la sanguinaria caricatura de la realidad no era tal, sino que lo monstruoso y lo deforme anidaban en ella [131], convirtiendo la morada vital

---

[128] Federico C. Sainz de Robles, *La novela española en el siglo XX,* Madrid, Pegaso, 1957, pág. 240.

[129] CJC, «La comba de la novela» (1969), *OC,* t. VII, pág. 22.

[130] CJC, «Algunas palabras al que leyere» (1953), *OC,* t. VI, pág. 973.

[131] Deliberadamente parafraseo una reflexión de Cela que tiene un aliento inequívocamente galaico: hay en ella «moita trastenda». Es ésta: «Entiendo por tremendismo la sanguinaria caricatura de la realidad; no su sangriento retrato que, a las veces, la misma disparatada realidad se encarga de

española en un enfrentamiento —Unamuno, *dixit*— de «los hunos contra los otros»: no era el sentimiento trágico de la vida de los hombres y de los pueblos lo que Cela acababa de vivir, sino el resentimiento nacido de unas circunstancias a las que la historia del PASCUAL velada, y no tan veladamente, alude. No se crea, no obstante, que estoy tratando de pergeñar una nueva interpretación política de la novela. Lejos de ahí, lo que pretendo es ir dibujando su génesis desde la conciencia de quien la estructuró, la hermenéutica del sentido depositado por Cela, y no, por muy atractivas que sean, el que imponen sus lecturas o el que se logra mediante innombrables entresijos y crípticas herramientas del *vademécum* de la «deconstrucción narrativa».

En primer lugar, Cela, que lo ha repetido en infinidad de ocasiones, entiende la literatura no como una ciencia infusa sino como «una carrera de antorchas: como la cultura misma» [132], y, en consecuencia, no gusta de esa soberbia; tan sólo quiere ubicarse en una tradición hispánica en la que «se llama al pan, pan, y al vino, vino» [133]. El «tremendismo» del PASCUAL está latiendo en una determinada tradición literaria y artística (Goya) española, que iría desde el Arcipreste al 98, con eslabones decisivos en la Edad de Oro (a esa tradición la llamé en otro lugar, la de lo grotesco).

En segundo término, el novelista gallego (lo ha dicho categóricamente a propósito del PASCUAL) vive, discurre y fabula «por razones históricas y no políticas» [134]. Es decir, la fábula, lo acontecido de Pascualillo a Pascual, nace de una razón histórica que naturalmente hay que relacionar con el inmenso seísmo que como

---

forzarlo a lo monstruoso y lo deforme. Y lo encuentro, quede claro, tan estúpido como el mote que le colgaron, aunque —en todo caso— menos claudicante y yermo» («La comba de la novela», *OC,* t. VII, pág. 22).

[132] CJC, «Conversación en Chile», *Al servicio de algo,* Madrid, Alfaguara, 1969, pág. 534.

[133] CJC, «La comba de la novela» (1969), *OC,* t. VII, pág. 23.

[134] CJC, *«La familia de Pascual Duarte.* 1942-1982», *Los Cuadernos del Norte,* 15 (1982), pág. 3.

materia prima y como actor el novelista acababa de conocer y vivir. Ésta es la causa por la que Cela, reiterando una antigua reflexión, le dice al profesor Amorós en 1971:

> Es curioso lo espantadiza que es la gente que, después de asistir a la representación de una tragedia que duró tres años y costó ríos de sangre, encuentre tremendo lo que se aparta un ápice de lo socialmente convenido (no de la tradición literaria española) [135].

Basta unir el primer término y el segundo para dar con el sumatorio básico que nutrió la génesis del PASCUAL. La llaga lacerante de la historia —personal y colectiva—, que Cela entiende dominada por inflexibles leyes biológicas («La historia es como la circulación de la sangre o como la digestión de los alimentos. Las arterias y el estómago por donde corre y en el que se cuece la substancia histórica, son de duro y frío pedernal») [136], producto de esa paradójica armonía que late en su instinto de creador entre la compasión y el desprecio por la especie humana [137], determinó una agresividad, que podía olvidarse, que podía callarse, o que podía escribirse según los cauces de una tradición literaria hispánica y foránea (el profesor Sobejano ha señalado recientemente a Poe [138]; yo quisiera se-

---

[135]   Andrés Amorós, «Sin máscara», *Revista de Occidente,* XXXIII (1979), pág. 272.

[136]   CJC, «La comba de la novela» (1969), *OC,* t. VII, pág. 27.

[137]   Cf. «En Cela habita un pesimista desengañado al lado de un vitalista absoluto, como conviven en su mente un ácrata radical y un déspota ilustrado y como pueden compartir una matizada compasión por la denostada especie humana y un desprecio absoluto por lo que ha llegado esa especie humana a hacer de sí misma» [José-Carlos Mainer, *«Por un pensamiento que a lo mejor es mentira:* la guerra civil en la obra de Camilo José Cela», *Bulletin Hispanique,* 94 (1992), pág. 260].

[138]   Cf. «Muy probable me parece hoy una conexión intertextual de la novela de Cela con los cuentos de Edgar Allan Poe, que tienen como narrador protagonista al autor de uno o varios crímenes» [Gonzalo Sobejano, «Cuatro novelas españolas contemporáneas», *Boletín informativo de la Fundación Juan March,* 138 (1984), pág. 33].

ñalar, al hilo de lo dicho en los capítulos anteriores, a Dostoievski): nació el PASCUAL DUARTE, que debe verse como la mejor manifestación de una literatura que el propio novelista acertó a caracterizar en su rasgo dominante:

> Entiendo que la literatura no murió en nuestra posguerra, precisamente porque fue vivificada por su agresividad. Sin ella, sin el motor de esa su agresividad, la literatura española, a estas alturas —y porque las literaturas no pueden vivir ni aun concebirse desarraigadas del suelo que pisan— sería no más que un fenómeno de laboratorio o de un cenáculo divorciado del país y sus habitantes [139].

Decía Baroja: «El escritor, sobre todo el novelista, tiene un fondo sentimental que forma el sedimento de su personalidad» [140]. Gracias a la experiencia de la lectura y a la dramática vivencia de la guerra civil, Cela tenía ya con pocos años un notable poso sentimental alimentado de la memoria, porque la novela es radicalmente la memoria, la confesión de Pascual sabedor de que su destino está fatalmente cerrado, y necesita interpretar su vida con su propio criterio autónomo de condenado a muerte. «El condenado confiesa sus culpas para explicar públicamente su conducta. Los males que ha cometido no hallarán perdón de Dios ni justificación ante ningún tribunal, pero explicando cómo vino a cometerlos, a partir de qué circunstancias, podrá él mismo iluminar la trayectoria de su vida y serenar con esa luz de la palabra escrita su turbada conciencia» [141].

Íntimamente confesional (la retrospección acentúa, según los momentos sean del relato primero o de las analepsis, la acción o los remansos líricos o dramáticos), la escritura de Pas-

---

[139]   CJC, «La comba de la novela» (1969), *OC,* t. VII, pág. 26.
[140]   Pío Baroja, «El fondo sentimental del escritor», «Prólogo casi doctrinal sobre la novela» a *La nave de los locos,* pág. 91.
[141]   Gonzalo Sobejano, «Reflexiones sobre *La familia de Pascual Duarte*», *Papeles de Son Armadans,* CXLII (1968), pág. 22.

cual es el cuadro de la novela que Cela enmarcó con seis documentos complementarios, simétricamente dispuestos al principio y al final de la confesión. Estos documentos ofrecen algunos rasgos fundamentales del discurso del relato y funcionalmente uno de ellos, el que escribe Pascual (su carta a don Joaquín Barrera López), equivaldría a la carta-prólogo del *Lazarillo*. Los examinaremos en relación con «el cuadro», porque iluminan la finalidad del discurso narrativo y sus calculadas ambigüedades.

Al inicio nos encontramos con:

a) Una «Nota del transcriptor» (narrador ajeno al relato principal) que nos informa de cuándo encontró el manuscrito y en la que se refiere, con cautela y prevención (necesarias para la durísima censura contemporánea) a Pascual como «un modelo de conductas; un modelo no para imitarlo, sino para huirlo». El altisonante tono moral del transcriptor nos indica que estamos ante un guardavía de la censura. Adviértase, no obstante, que la novela examina una conducta humana; así lo declara paladinamente.

b) Una «carta de Pascual a don Joaquín Barrera López», amigo del conde de Torremejía, víctima del último asesinato de Pascual, fechada el 15 de febrero de 1937 en la cárcel de Badajoz, donde espera el cumplimiento de la pena de muerte.

c) Una «cláusula testamentaria de don Joaquín Barrera», que, como el primer documento, tiene un narrador ajeno al relato, y que hace verosímil el hallazgo que el transcriptor ha hecho del manuscrito en una farmacia de Almendralejo a mediados de 1939.

La carta de Pascual para acompañar el envío del manuscrito original, del relato, contiene algunas informaciones decisivas. Pascual ha relatado en el manuscrito ajeno «algo de lo que me acuerdo de mi vida» en esta «pública confesión», con lo que su escritura y el relato se convierten en memoria y confesión. Confesión y memoria selectiva, porque alguna parte de la experiencia de la vida «al intentar contarla sentía tan grandes arcadas en el alma que preferí callármela y ahora olvidarla» (no cabe pensar que, como la carta se escribe a la par que los capítulos 12 y 13, luego contase lo que había callado). Memoria y confesión que suponen para el narrador del relato un cierto descargo de conciencia y una resignada voluntad de aceptar la muerte a la que está condenado.

Dos apreciaciones más de Pascual (el narrador de esta carta-prólogo y del relato) me parecen esenciales para entender el significado de la novela. La primera es la advertencia que Pascual hace de no querer pedir el indulto, «porque es demasiado malo lo que la vida me enseñó y mucha mi flaqueza para resistir al instinto». Adviértase que Pascual califica su propia vida como un conjunto de enseñanzas corruptoras, que facilitaron la perdición de un hombre en unas concretas circunstancias familiares y sociales (*La familia* del título), que el relato indicará o describirá desde la única perspectiva de Pascual, conformando la novela como una autobiografía escrita desde la cumbre de la fatalidad que ha acechado fieramente la vida de este carpetovetónico campesino extremeño. Pascual —narrador— sabe y admite que la vida no ha sido una mala maestra para el tránsito de Pascualillo a Pascual que la historia del relato nos ofrecerá. La verdad de lo sucedido está en el discurso del relato y en la fragua del personaje —como lo está en el *Lazarillo*— pero también en la sinceridad del propio Pascual en esta carta-prólogo, situada en las antípodas de la redomada hipocresía de Lázaro.

Adviértase, además, que Pascual admite su «flaqueza para resistir el instinto» ahora al borde de la hora final, confirmando su naturaleza violenta, especificada en los horrendos crímenes que ha cometido, y «textualmente» en el cuarto capitulillo de su relato autobiográfico, al recordar cómo don Manuel, el cura, ha dicho de él:

> que era talmente como una rosa en un estercolero y bien sabe Dios qué ganas me entraron de ahogarlo en aquel momento; después se me fue pasando y, como soy de natural violento, pero pronto...

Ahora bien, este «de natural violento, pero pronto...» [142] no es un rasgo ontológico de maldad, sino una patología que ha sido abonada por la vida, de ahí que el arranque de la confesión de Pascual sea una reflexión genérica de su propia experiencia, determinada socialmente y con las marcas de los tatuajes que nadie ha de borrar nunca más (el préstamo de *El Buscón* no tiene excesivas implicaciones, dado que el pícaro de Quevedo va de inmediato a la genealogía concreta y Pascual se inicia como escritor, *tout court,* con una reflexión antropológica y moral:

> Yo, señor, no soy malo, aunque no me faltarían motivos para serlo. Los mismos cueros tenemos todos los mortales al nacer y sin embargo, cuando vamos creciendo, el destino se complace en variarnos como si fuésemos de cera y en destinarnos por sendas diferentes al mismo fin: la muerte. Hay hombres a quienes se les ordena marchar por el camino de las flores, y hombres a quienes se les manda tirar por el camino de los cardos y de las chumberas. Aquéllos gozan de un mirar sereno y al aroma de su felicidad sonríen con la cara del inocente; estos otros sufren del sol violento de la llanura y arrugan el ceño como las alimañas por defenderse. Hay mucha diferencia entre adornarse las carnes con arrebol y colonia, y hacerlo con tatuajes que después nadie ha de borrar ya (cap. 1).

La segunda apreciación enlaza con lo que acabo de decir. Pascual envía su relato al señor Barrera, duplicado de don Jesús, conde de Torremejía, quien es el polo opuesto del protagonista: don Jesús es un inocente que sonríe, Pascual es un culpable, un hombre de naturaleza violenta, al que la vida, la experiencia, la necesidad y el tiempo histórico, van a convertir

---

[142] Las imágenes que mejor transparentan la naturaleza violenta de Pascual se dan en el inicio del capitulillo 16: «Un nido de alacranes se revolvió en mi pecho y, en cada gota de sangre de mis venas, una víbora me mordía la carne».

—han convertido— en un criminal derrotado, que escribe en
la soledad de su celda. Comparto la lección de Sobejano,
quien repara en una evidente correlación entre el paratexto de
la dedicatoria («A la memoria del insigne patricio don Jesús
González de la Riva, Conde de Torremejía, quien al irlo a rematar el autor de este libro, le llamó Pascualillo y sonreía») [143]
y los que «sonríen con la cara del inocente» del inicio del relato de Pascual.

En consecuencia, de la dependencia de esta carta-prólogo
con el relato se deduce que el descargo de conciencia de Pascual va dirigido a su última víctima, espejo del polo opuesto
de su vida. Es una memoria que se ha mirado siempre en don
Jesús y que le busca en su desembocadura. Pascual asesina al
espejo y se confiesa ante don Joaquín, un correlato de ese espejo, inseparable para siempre de su propia persona.

Al finalizar las memorias confesionales de Pascual Duarte
aparecen tres nuevos documentos, los tres ajenos a la narración del protagonista. Son:

a) «Otra nota del transcriptor» en la que se nos informa
(aquí también el entorno de la censura no me parece menos-
preciable) de que Pascual debió estar en la cárcel de Chinchilla,
a la que fue a parar por el matricidio cometido —según el
texto de la confesión de Pascual— el 10 de febrero de 1922,
hasta 1935 o 1936, saliendo del penal antes de estallar la guerra
civil. También se nos indica, con calculada y aparencial ambigüedad, que en los días de revolución que atravesó Torremejía, nada se puede saber de la conducta de Pascual, salvo que
asesinó a don Jesús, crimen por el que está condenado a
muerte. Por último, el transcriptor nos ofrece la conjetura de
que la carta-prólogo coincidiría cronológicamente con la re-
dacción de los capítulos 12 y 13 del relato de Pascual.

---

[143]   Paratextos que la agudeza del profesor Antonio Vilanova ha vinculado a *Sortilegio,* la pieza que Valle-Inclán incluyó en *Retablo de la avaricia,
la lujuria y la muerte* [«*El Pascual Duarte,* de Cela, veinte años después»,
Destino (13 de febrero de 1965)].

De la tarea investigadora del transcriptor nacen los otros dos documentos. Nótese que es el transcriptor (entidad narrativa más cercana a Cela) quien abre la posibilidad de un mayor perspectivismo, tras facilitar la lectura del escrito de Pascual a los autores de ambos documentos.

b) Una carta del capellán de la cárcel de Badajoz. Desde la perspectiva del cura don Santiago Lurueña, los momentos anteriores a la ejecución fueron ejemplarmente cristianos, y el retrato que nos ofrece de Pascual subraya su bondad natural y su desgraciada suerte como víctima de las circunstancias. Se trata —no conviene olvidarlo— de una visión del hombre desde la caridad cristiana:

> No deja de ser fuerte impresión la lectura de lo escrito por el hombre que quizás a la mayoría se les figure una hiena (como a mí se me figuró también cuando fui llamado a su celda), aunque al llegar al fondo de su alma se pudiese conocer que no otra cosa que un manso cordero, acorralado y asustado por la vida, pasara de ser.

c) Una carta de un guardia civil que le custodió en la cárcel de Badajoz. Don Césareo Martín nos muestra una perspectiva diferente (Pascual, a su juicio, tuvo unos últimos momentos especialmente cobardes) y una caracterización del reo en la que se insiste en su locura:

> De la salud de su cabeza no daría yo fe aunque me ofreciesen Eldorado, porque tales cosas hacía que a las claras atestiguaba su enfermedad.

Concluidos estos textos complementarios, el lector tiene ante sí, con calculada ambigüedad que busca la verdad, varias perspectivas del narrador y protagonista del relato: Pascual, hiena; Pascual, cordero; Pascual, loco; y una perspectiva mucho más perfilada y matizada, que es la que emana de su propia confesión, de su propia narración. Gran parte de la crítica ha vaciado sus esfuerzos en comprobar cuál es la más ajustada, apurando todo tipo de simbolismos. Creo que el diseño de la novela, el cuadro y los complementos, invitan a pensar —sobre todo si se entiende que el relato de Pascual es el relato de un ámbito vital no enteramente cerrado desde su focalización— que esas otras perspectivas ayudan a componer la torrentera de la vida, tal y como el primer Cela del PASCUAL quería llevarla a la máscara de la ficción: levantando acta de los hechos dolorosos y amargos que le rodeaban.

La idea según la cual lo que pretenden las diferentes perspectivas y los diversos narradores del PASCUAL es integrar una compleja y rica visión de la realidad del hombre y de la vida en esta minúscula y asfixiante tragedia del pobre campesino Pascual Duarte —quien goza, no obstante, de una total autonomía en su confesión, según los parámetros tan queridos por Cela del *Lazarillo*— viene estipulada por una reflexión de Ortega, al formular su teoría del perspectivismo en las páginas preliminares de *El Espectador;* páginas asimismo que, como demostró mi maestro Antonio Vilanova, son capitales para la acuñación de la genial creación del «apunte carpetovetónico». Decía Ortega:

> La realidad, pues, se ofrece en perspectivas individuales. Lo que para uno está en último plano, se halla para otro en primer término. El paisaje ordena sus tamaños y sus distancias de acuerdo con nuestra retina, y nuestro corazón reparte los acentos. La perspectiva visual y la intelectual se complican con la perspectiva de la valoración. En vez de disputar, integremos nuestras visiones en generosa colaboración espiritual, y como las riberas independientes se aúnan en la gruesa vena del río, compongamos el torrente de lo real [144].

---

[144]   José Ortega y Gasset, «Verdad y perspectiva», *El Espectador-I* (1916), *OC,* t. II, pág. 19. Las deudas de Cela con este principalísimo ensayo no acaban aquí, sin embargo, no es éste el lugar para exponerlas.

La pretensión de Cela, al modo de Ortega, es componer el torrente de lo real, y para ello necesitó no sólo de la confesión de Pascual sino de esos textos complementarios. Cumplía de este modo el novelista gallego con la función decisiva del escritor de la inmediata posguerra, que él mismo describió hablando de la ladera positiva del tremendismo:

> Dosificar la ternura y no cegarse ni disimular ante la barbarie es la más noble función del escritor, del notarial y solemne cronista del tiempo que nos ha tocado vivir. Lo contrario es inmoral, rigurosamente inmoral. No se puede, ni se debe, ser cómplice o encubridor del pecado. El tremendismo, para no salirse de su ortodoxia, debe marcar los cuatro puntos de su rosa de los vientos con las siluetas de la sinceridad, de la verdad, de la lealtad y de la claridad. Vientecillos intermedios de esta brújula literaria —los NE y SW del caso— podrían ser la caridad, la ternura, la no delectación morosa en las circunstancias y en los momentos sobre los que conviene pasar de puntillas, y el valor personal [145].

La sinceridad del novelista necesita de ese juego de ópticas que, aparentemente, apuntan a una calculada indeterminación, para, en propiedad, forjar una imagen del mundo de descarnada autenticidad. LA FAMILIA DE PASCUAL DUARTE, a la luz de la estructura, no creo que postule la ironía, sino la radical verdad humana que atesora esta tremenda historia del campesino extremeño convertido en encallecido criminal y en opor-

---

[145] CJC, «Sobre los tremendismos», *Correo Literario* (15 de abril de 1952), *OC*, t. XII, *Glosa del mundo en torno*, pág. 19. Como se advierte en este texto de Cela está presente un aspecto moral que determina hondamente su arte, a juicio de Sobejano: «El contrapunto de crueldad y piedad en *La familia de Pascual Duarte* tiene una función moral de autoconocimiento y purificación. No es mero tremendismo, no es artificiosa ostentación de horrores y ternuras adrede» [Gonzalo Sobejano, «Reflexiones sobre *La familia de Pascual Duarte*», *Papeles de Son Armadans*, CXLII (1968), pág. 58]. Expresa la convicción de que la vida es una lucha cruel y afirma los destellos de amor humano que, en ocasiones, la iluminan. Es la dualidad irrenunciable del arte de Cela: crueldad y compasión ante la humana naturaleza.

tuno narrador retrospectivo de sus vivencias, en forma de confesión y de descargo de conciencia, ante el asesinado narratario, que siempre le acompañó durante toda su vida, como referencia y como espejo. Así, LA FAMILIA DE PASCUAL DUARTE cumple lo que Cela pretendía para la novela de posguerra:

> Jamás podrá ser desleal a su calendario y a su geografía; ha de ser clara como el aire de las montañas, caritativa como los bienaventurados que sufren en silencio, tierna como una loba amamantando a un niño, honesta sin tabús ni juegos de palabras, y valerosa y arrojada como un héroe adolescente y enloquecido.
> Volver la espalda al enemigo —el pobre títere que nos llama la atención con su agobiadora y casi siempre minúscula tragedia— es algo que debe estar vedado al escritor [146].

El cuadro de la novela son las memorias de Pascual. La contemplación y la escritura que Pascual lleva a cabo nos acercan a una revisión de su vida desde la soledad de la cárcel. Pascual recuerda porque se sabe morir. En el plano de la historia, lo decisivo es la fragua de la atalaya que ahora ocupa, la de un condenado a muerte. La forja de Pascual en el crimen se ve condicionada por el ambiente de degradación y violencia, pobreza y primitivismo —el estercolero— que le rodea. Además de la geografía, los padres son la primera marca que Pascualillo lleva sobre sí: la ley de la herencia, que es la más pasmosa de la biología, gravita sobre él. El padre que estuvo en la cárcel por contrabandista, «era áspero y bronco». La madre que vestía siempre de luto y se emborrachaba frecuentemente, «era también desabrida y violenta». Como los padres no se llevan bien (la paliza del padre a la madre cuando nace la hermana de Pascualillo, Rosario, puede ser un emblema), la reflexión sobre su familia enlaza con la inicial de sus confesiones. Son los condicionantes biológicos y ambientales de una psicología:

---

[146]   *Ibídem,* págs. 19-20.

> La verdad es que la vida en mi familia poco tenía de pla-
> centera, pero como no nos es dado escoger, sino que ya —y
> aun antes de nacer— estamos destinados unos a un lado y otros
> a otro, procuraba conformarme con lo que me había tocado,
> que era la única manera de no desesperar (cap. 2).

Sin apenas instrucción escolar, este joven de naturaleza primitiva asiste a continuas lecciones de agresividad y violencia
(la del *Estirao* con su hermana Rosario, la del señor Rafael,
amancebado con su madre tras la muerte de su padre, hacia su
hermano Mario). Un espléndido aprendizaje de la violencia
que late incluso en su primera relación amorosa con Lola, su
futura mujer, tras el entierro de Mario.

El matrimonio con Lola abre la primera madurez de Pascual (la segunda vendrá al regresar de su huida tras la muerte
de su hijo Pascualillo, y una tercera madurez es la que prelu-
dia el asesinato de su madre y que se asienta en su matrimonio
con Esperanza). Pascual se resiste, una y otra vez, ante el odio
insoportable, pero el camino criminal se recorre como un destino de hierro. Según el orden de la historia, que no discurre
paralelo al del relato, las violencias que tienen como sujeto a
Pascual son las siguientes:

a) Pascual apuñala a Zacarías, tras una disputa tabernaria
(la taberna de Martinete el Gallo que aparece en las *Memorias*
de Cela) a su regreso del viaje de bodas a Mérida (capítulo 8).

b) Pascual mata a navajazos a la yegua que descabalga a su
mujer provocándole un aborto (capítulo 9).

c) Pascual mata a la perra *Chispa:* su mirada, emblemática
de otras miradas (esencialmente, la de su madre), le resulta insoportable (capítulo 1)[147].

---

[147] Acepto la lectura de Gonzalo Sobejano: «Hay que situar esa acción en
el tiempo en que ocurre, que es aquel en que la madre y la mujer de Pascual tienen a éste asediado de reproches por la muerte del hijo. Pascual, evitando aten-
tar contra las enlutadas plañideras, traslada su resentimiento a la perra, madre
malograda también, símbolo femenino de ellas» [«Reflexiones sobre *La familia de Pascual Duarte», Papeles de Son Armadans,* CXLII (1968), pág. 25].

d) Pascual mata al *Estirao* (capítulo 16), vengándose del honor ultrajado en las personas de su hermana Rosario (el ser que más quiere) y en su propia mujer Lola.

e) Pascual mata a navajazos a su madre (capítulo 19). El hijo infame y desnaturalizado se venga de su mismo origen. Pascual había acrecentado el odio hacia su madre al ver su reacción ante la muerte de su hermano Mario.

f) Pascual mata al conde de Torremejía. Consumación de su vida y causa inmediata de su condena a muerte.

Desde las memorias, todos los crímenes tienen justificación narrativa. El asesinato del *Estirao* —narrado en el capítulo 16— está anunciado en el capítulo 3, cuando este rufián achulado cruza la cara de Rosario con una vara de mimbre: «Aquel día se me clavó una espina en un costado que todavía tengo clavada». El matricidio también: a los malos tratos que la madre ha dispensado a Mario, a su falta total de cariño para con sus hijos, se va a sumar (capítulo 12) —mediante una configuración del relato que apunta más que a la picaresca clásica o a la neopicaresca barojiana, al drama rural de Valle-Inclán y de García Lorca— [148] la muerte de Pascualillo, el hijo del narrador, de la que Pascual responsabiliza a la maldición que sobre él ejercen su madre y Lola. Desde ese preciso instante está anunciado el horrible crimen —inclusive está preludiado en la descripción— como patentiza un diálogo de estirpe lorquiana entre Pascual y su madre. El narrador escribe:

---

[148] Quisiera dejar aquí constatado, que si bien el tono y las anécdotas apuntan al drama rural de Valle-Inclán y García Lorca —especialmente en el léxico a este último—, se advierte una huella conceptual de Dostoievski, en el sentido de configurar la novela como un drama. Decía agudamente Ricardo Baeza: «La técnica de Dostoievski, y esto es lo que le separa formalmente del resto de la novela y lo que, aun sin explicarse la razón, desconcierta a sus lectores, es de orden dramático: pertenece, más que a la novela, al teatro» [«Comprensión de Dostoievski» (octubre de 1926), *Comprensión de Dostoiewski y otros ensayos,* Barcelona, Juventud, 1935, págs. 21-22]. Aun en un contexto de novela confesional el acento dramático es inconfundible. Quizá tenga un significado simbólico, y tal vez en ello resida parte de la fuerza estética del texto.

> No entendía; mi madre no entendía. Me miraba, me ha-
> blaba... ¡Ay, si no me mirara!
> —¿Ves los lobos que tiran por el monte, el gavilán que
> vuela hasta las nubes, la víbora que espera entre las piedras?
> —¡Pues peor que todos juntos es el hombre!
> —¿Por qué me dices esto?
> —¡Por nada!
> Pensé decirle:
> —¡Porque os he de matar! (cap. 12).

Finalmente la tiene el asesinato del conde de Torremejía, no
tanto por el componente social que a esta luz adquiere la novela, sino porque don Jesús ha sido a lo largo de la vida de Pascual, su referencia. O dicho de un modo más cauteloso: desde
el relato emanado de la memoria, Pascual siempre ha visto en
don Jesús un espejo de la imagen antitética de sí mismo. Ajus-
tando las cuentas con su propio destino personal, y, en el fervor
de la revolución, el campesino Pascual asesina al conde de Torremejía. Debió tratarse de un acto al que le condujo el odio, al
modo y manera del asesinato del *Estirao* y el de su madre. La
memoria de Pascual guarda escrupuloso silencio.

Pascual en su confesión ha purgado su corazón, ha descar-
gado su conciencia. Ahora conviene detenerse mínimamente
en el discurso del relato, en la confesión como forma narrativa. Aceptando la heterogeneidad de materiales que influyen
en su configuración (desde la picaresca hasta los romances de
ciego, desde Baroja a Valle-Inclán, desde López Pinillos o Fe-
lipe Trigo a García Lorca), recordemos que la memoria es la
fuente del dolor, y la memoria es dolorosa y amarga como un
espejo que devuelve las anteriores etapas de la vida en el lí-
mite de la última frontera. Cela, en el «Prólogo en forma de
aparente divagación» que precede a *La rosa,* es de un didac-
tismo ejemplar:

> Recordar es saberse morir, es buscar una cómoda y orde-
> nada postura para la muerte, esa muerte que ha de llegar pre-
> cisa como un verso de Goethe, indefectible lo mismo que el

cauteloso fin del amor, inexorable e idéntica al minuto pos-
trero del condenado que sabe bien que el indulto se perdió en
la mar sin oriente de las buenas y más ineficaces e ingenuas
intenciones [149].

Pascual, precisamente, escribe desde los días postreros del
condenado a muerte. Sus memorias son un ejercicio de descarnada sinceridad, a la luz del cual se advierten las señales
marcadas al fuego de sus determinismos de herencia, ambiente
y educación, las ilusiones y las frustraciones, las amargas desventuras y el fatalismo criminal al que se ve empujado. Las
memorias de Pascual adquieren su verdadera *intentio operis*
según los cánones de quien le engendró:

> Los libros de memorias, si acres y desabridos, son también
> aleccionadores y morales, a veces incluso con sobrada cruel-
> dad. Los libros de memorias han de ser —suelen ser— un
> tratado de consciente humildad, un compendio de desnuda,
> de descarnada sinceridad. De nada vale vestir con el brillante
> oropel que todo quiere taparlo, el mondo y lirondo montonci-
> llo de huesos del recuerdo. La memoria sirve al examen de
> conciencia, al recuento de los buenos pasos y de las malas
> pasadas [150].

Quien escribe estas memorias es una criatura de ficción. Se
puede ver, como hace Ramón Buckley, en esa criatura el re-
verso de la medalla de su autor [151], pero se debe dejar diáfana-
mente consignada la frontera que separa a Cela de Pascual,
aunque el novelista gallego recogiese al campesino extremeño
y lo estrujase contra su corazón.

---

[149]   CJC, *La rosa,* pág 11.
[150]   *Ibídem,* págs. 12-13.
[151]   Es sumamente interesante lo que apunta Ramón Buckley pero quizás
excesivo. Cf. «El texto que Cela nos presenta ha de entenderse como una doble confesión, como una ceremonia de expiación de los crímenes de guerra»
(Ramón Buckley, «El pícaro como criminal», *Raíces tradicionales de la novela contemporánea en España,* Barcelona, Península, 1982, pág. 99).

Recomendaba don Pío Baroja al novelista capaz de ser en literatura un gran psicólogo, hundirse en la ciénaga de la patología: «Ese pantano que no tiene gran cosa que ver con la ridícula perversidad, casi siempre industrial, de los escritores eróticos, está indudablemente habitado por monstruos extraños y sugestivos. El cazador de monstruos debe ir ahí» [152]. Cela marchó por ahí: Pascual no es un «ridículo perverso», sino que es un campesino con un pronto violento y con un primitivo y bárbaro sentimiento de la honra y de la justicia, que engendra su propio monstruo de criminal. El gran novelista gallego, en el segundo tomo de la «crónica verdadera», ha explicado cómo lo parió:

> Sí lo adiviné con pelos y señales, con hirsutos pelos de dehesa y crueles señales marcadas a fuego, con sus truncados afanes mínimos, sus muy débiles y huidizas ilusiones y sus suficientemente amargas y mantenidas y zurradoras desventuras [153].

Su forja, la creación de Pascualillo a Pascual, fue inevitable [154]. Cela acababa de atravesar la espesa crueldad, la tupida bajeza y las amargas villanías de la guerra, y no podía reflejar en el espejo de su novela rosicleres y amables tornasoles. En el momento de la raíz del PASCUAL DUARTE su visión del mundo y de la vida presentaba una ley inexorable, que dejó escrita años después en el soberbio ensayo «La galera de la literatura»:

> No hay más, absolutamente nada más, que negra vileza, amarillo dolor, verde veneno.
> La vida no es buena; el hombre tampoco lo es. Quizás fuera más cómodo pensar lo contrario. La vida, a veces, pre-

---

[152] Pío Baroja, «Psicología de los tipos literarios», «Prólogo casi doctrinal sobre la novela», a *La nave de los locos,* pág. 80.

[153] CJC, «Torremejía», *Memorias, entendimientos y voluntades,* pág. 273.

[154] A ello aludió CJC en el número de *Papeles de Son Armadans* [CLXII (1968)] con el que se celebraba el veinticinco aniversario de la novela. El texto de Cela se titulaba significativamente, «Inevitable, rigurosamente inevitable».

senta fugaces y luminosas ráfagas de simpatía, de sosiego e
incluso también, ¿por qué no?, de amor. El hombre, en ocasiones, se nos muestra cordial y casi inteligente. Pero no nos
engañemos. No se trata más que de una máscara, que del an-
tifaz, que del engañador disfraz que la vida y el hombre se
colocan para que no nos sintamos demasiado inmensamente
dichosos en nuestra desgracia y orfandad. Esa careta que,
sonriente, se nos presenta, no es otra cosa que el más cruel de
los simulacros, aquel que ayer nos engañó, que hoy nos engaña, que mañana seguirá engañándonos también sin remi-
sión, sin escape posible, sin vuelta de hoja [155].

Este radical pesimismo antropológico nace de unas circunstancias históricas muy concretas, tan concretas como
atroces y amargas: la guerra civil. Por ello, en la configuración, desde sus memorias, de Pascual Duarte (y creo ver en lo
que finalmente sostiene esta larga introducción, el sentido último de la novela) está presente, además del genérico animal
humano (la bestia humana de los naturalistas), el animal español, cuya cruenta maldición —como recordaba una reflexión de Cela, ya citada— anida en sus más recónditos entresijos, hasta llevarle a pelearse consigo mismo, e incluso a
asesinarse, en el espejo de los demás. Pascual es el fedatario
de esta «civil discordia del español, de esta incivil y permanente pelea que para presentarse no necesita ni de la presencia de los españoles —ya que, para desgracia de todos, con el
desdoblado corazón de uno tiene suficiente—» [156]. Desde su
corazón piadoso y fiero, desde su justicia primitiva y sus violentos asesinatos, Pascual Duarte es el fedatario de la España
que acababa de vivir la guerra civil. A este hijo de las paride-
ras de los conquistadores (fauna hispánica y carpetovetónica
también), a esta criatura, que se convertiría en el chivo expia-

---

[155]   CJC, «La galera de la literatura» (1951), *OC,* t. XII, *Glosa del mundo
en torno,* pág. 766.
[156]   CJC, «Sobre España, los españoles y lo español» (1959), *OC,* t. XII,
Glosa del mundo en torno, pág. 620.

torio de la purgación española de la posguerra inmediata, el joven maestro Camilo José Cela le concedió la palabra y la escritura, una bronca voz desgraciada, y lo estrujó contra su corazón para oírle respirar.

ADOLFO SOTELO VÁZQUEZ
(Universidad de Barcelona)
Barcelona, «April is the cruellest month», 1995

(Edición revisada en diciembre de 2005)

BIBLIOGRAFÍA

SOBRE LA NOVELA DE POSGUERRA Y CAMILO JOSÉ CELA

ALBORG, Juan Luis, *Hora actual de la novela española,* Madrid, Taurus, 1958, págs. 79-113.
Descripción de la obra de Cela en el contexto de otras aproximaciones sobre novelistas españoles de la posguerra. Juicio muy severo de *Pascual Duarte.*

ALVAR, Manuel, «Noventayochismo y novela de posguerra», en *De Galdós a Miguel Ángel Asturias,* Madrid, Cátedra, 1976, págs. 169-205.
La deuda noventayochista (Unamuno y Baroja) de algunos novelistas de posguerra, entre ellos CJC.

AMORÓS, Andrés, «Conversaciones con Cela. Sin máscara», *Revista de Occidente,* XXXIII (1971), págs. 267-284.
Apasionante conversación en la que afloran temas estéticos y éticos decisivos en el mundo de Cela.

ASUN, Raquel, *La colmena. Camilo José Cela,* Barcelona, Laia, 1982.
Guía documentada y precisa para la lectura de *La colmena.* Contiene una buena información inicial sobre la obra narrativa de Cela.

CASTRO, Américo, «Algo sobre el "nihilismo" creador de Camilo José Cela», *Hacia Cervantes,* Madrid, Taurus, 1967, págs. 486-490.
En breves líneas una sumaria lección de la voluntad creadora de CJC.

CORRALES EGEA, José, *La novela española actual,* Madrid, Editorial Cuadernos para el Diálogo, 1971.
Intento de sistematización de la novela española de posguerra y de la obra de Cela en dicho contexto. Se cierra con la liquidación del realismo.

DOMINGO, José, *La novela española del siglo XX. II De la postguerra a nuestros días,* Barcelona, Labor, 1973, págs. 39-47.
La poderosa personalidad de Cela en el universo narrativo que se aborda con ademán de sistematización.

GIL CASADO, Pablo, *La novela social española,* Barcelona, Seix Barral, 1973.
El papel pionero de Cela y un estudio de *La colmena* en el contexto del análisis que propone el título de la obra.

GIMÉNEZ FRONTÍN, José Luis, *Camilo José Cela: texto y contexto,* Barcelona, Montesinos, 1985.
Análisis sugestivo de las cuatro grandes novelas de Cela: *La familia de Pascual Duarte, La colmena, San Camilo 1936* y *Mazurca para dos muertos.*

IGLESIAS LAGUNA, Antonio, *Treinta años de novela española (1938-1969),* Madrid, Prensa Española, 1969.
Panorámica de la novela española con la presencia importante de Cela. Juicios interesantes y discutibles sobre el *Pascual.*

ILIE, Paul, *La novelística de Camilo José Cela,* Madrid, Gredos, 1971.
Estudio de conjunto que contiene notables referencias para el primer CJC.

LAÍN ENTRALGO, Pedro, «La libertad de Camilo José Cela», *Papeles de Son Armadans,* CXLII (1968), págs. 175-181.
Interesante reflexión sobre la personalidad y la obra de CJC.

MAINER, José-Carlos, «*Por un pensamiento que a lo mejor es mentira:* la guerra civil en la obra de Camilo José Cela», *Bulletin Hispanique,* 94 (1992), págs. 245-261.
Desde las consideraciones de *Al servicio de algo* hasta las dos novelas que Cela ubica durante la guerra civil. Inteligentes reflexiones a propósito de esta temática en la obra de CJC.

MARTÍNEZ CACHERO, José María, *La novela española entre 1939 y 1980. Historia de una aventura,* Madrid, Castalia, 1986.
Enfoque histórico y crítico con un buen apéndice bibliográfico.

NORA, Eugenio G. de, *La novela española contemporánea. III (1939-1967),* Madrid, Gredos, 1971, págs. 66-86.
Bien informado y riguroso para lo temprano de su composición.

PLATAS TASENDE, Ana María, *Camilo José Cela,* Madrid, Síntesis, 2004.
Excelente estudio de toda la obra de CJC: riguroso, preciso y con múltiples sugerencias de análisis e interpretación de los textos celianos.

POZUELO YVANCOS, José María, «Introducción» a CJC, *Viaje a la Alcarria,* Madrid, Espasa Calpe (Austral), 1990, págs. 9-53.
Excelente introducción al género de los libros de viajes en la obra de CJC. Aprovecha con inteligencia las indicaciones de Vilanova [1972].

PRJEVALINSKY, Olga, *El sistema estético de Camilo José Cela,* Valencia, Castalia, 1960.
La expresividad y la estructura. Contiene algunos apuntes interesantes.

SANZ VILLANUEVA, Santos, *Historia de la novela social española (1942-1975) I,* Madrid, Alhambra, 1980.
Con criterios cronológicos se acerca a la novela española. Un capítulo muy interesante sobre CJC. Excelente documentación.

SOBEJANO, Gonzalo, *Novela española de nuestro tiempo,* Madrid, Prensa Española, 1975.
Solvente, brillante y sabia trayectoria de la novela española de posguerra. El capítulo dedicado a CJC es imprescindible.

—, «Cela y la renovación de la novela», *Ínsula,* 518-519 (1990), págs. 66-67.
Sugestiva clasificación de la obra novelesca de CJC.

SOBEJANO, Gonzalo, «Prólogo» a CJC, *La colmena,* Madrid, Alianza, 1992, págs. 7-44.
Excelente introducción a *La colmena* con numerosas notas sobre la novelística de CJC, ordenada según criterios ligeramente modificados con respecto a otros estudios del propio Sobejano [1975].

SOLDEVILA DURANTE, Ignacio, *La novela desde 1936,* Madrid, Alhambra, 1980.
Ordenación y buena panorámica de la novela española, de excelente calidad de conjunto.

SOTELO VÁZQUEZ, Adolfo, «Camilo José Cela, perfiles de un escritor», *Anuario 2005 de Estudios Celianos,* págs 157-158.
Un sintético recorrido por la personalidad poliédrica del escritor, con especial atención a la narrativa.

SUÁREZ, Sara, *El léxico de Camilo José Cela,* Madrid, Alfaguara, 1969.
Aproximación al lenguaje de la obra de CJC.

VILANOVA, Antonio, «*Viaje a la Alcarria* de Camilo José Cela», *Destino* (1 de enero de 1955).
Breve e interesante caracterización de la geografía y del interés humano del libro de CJC.

—, «Los cuentos completos de Camilo José Cela», *Destino* (6 de febrero de 1965).
Interesa por la vinculación de la narrativa de Cela a la tradición noventayochesca.

—, «Realismo y humanización en la novela española de la posguerra», *Las literaturas contemporáneas en el mundo,* Barcelona, Vicens Vives, 1967, págs. 21-71.
Sigue siendo una excelente carta de marear en la narrativa de la posguerra inmediata. Las referencias a CJC son de notable valor.

—, «La realidad esperpéntica en Camilo José Cela», en CJC, *Toreo de salón,* Barcelona, Lumen, 1972, págs. 7-48.
Importantísimo estudio en el que se apuntan las deudas de CJC con respecto al perspectivismo orteguiano y al esperpento de Valle-Inclán.

VILLANUEVA, Darío, «Prólogo» a CJC, *La colmena,* Barcelona, Noguer, 1983, págs. 19-92.
Excelente análisis de la personalidad de Cela. Contiene un capítulo imprescindible sobre su arte de novelar.

—, «Estudio preliminar» a CJC, *Páginas escogidas,* Madrid, Espasa Calpe (Austral), 1991, págs. 9-65.
Se trata de una antología muy bien presentada. La introducción más adecuada a la obra del premio Nobel.

ZAMORA VICENTE, Alonso, *Camilo José Cela: acercamiento a un escritor,* Madrid, Gredos, 1962.
Una aproximación comprensiva y sagaz a la personalidad de CJC. Interesantes e imprescindibles notas sobre el estilo.

ZAMORA VICENTE, Alonso; CUETO, Juan, *Retrato de Camilo José Cela,* Barcelona, Círculo de Lectores, 1990.
Se trata de un bello y documentado libro que contiene el Discurso del premio Nobel.

SOBRE *LA FAMILIA DE PASCUAL DUARTE*

BECK, Mary Ann, «Nuevo encuentro con *La familia de Pascual Duarte*», en *Novelistas Españoles de Postguerra* (ed. Rodolfo Cardona), Madrid, Taurus, 1977, págs. 65-88.
Escrupulosa y detallada lectura de la novela, atendiendo a la historia y al relato y a su entresijo irónico.

BREINER-SANDERS, Karen E., *«La familia de Pascual Duarte» a través de su imaginería,* Madrid, Pliegos, 1990.
La novela y los tropos, especialmente la metáfora y la comparación.

BUCKLEY, Ramón, «El pícaro como criminal: *La familia de Pascual Duarte*», *Raíces tradicionales de la novela contemporánea en España,* Barcelona, Península, 1982, págs. 92-99.
Pascual Duarte «encubre» a su propio creador, CJC.

CABO ASEGUINOZALA, Fernando, «Cela y la picaresca (apó-
crifa). Temporalidad, literatura y referente genérico en el
Pascual Duarte y el *Nuevo Lazarillo*», *El Extramundi,* XII,
págs. 151-158.
Documentada exposición de las complejas relaciones entre la
opera prima de Cela y el concepto «picaresca».

DOUGHERTY, Dru, «Pascual en la cárcel: el encubierto relato
de *La familia de Pascual Duarte*», *Ínsula,* 365 (1977),
págs. 5 y 7.
Examina la linealidad de la novela y analiza un relato interno al
que se llega por vía estructural.

EVANS, Jo, *«La familia de Pascual Duarte* and the Search for
Gendered Identy», *Bulletin of Hispanic Studies,* LXXI
(1994), págs. 197-216.
Análisis del personaje central de la novela.

FERRER, Olga P., «La literatura española tremendista y su
nexo con el existencialismo», *Revista Hispánica Moderna,*
XXII (1956), págs. 297-303.
Buen punto de partida para las referencias al tremendismo y a
Cela.

GULLÓN, Germán, «Contexto ideológico y forma narrativa
en *La familia de Pascual Duarte*», *Hispania,* 68 (1985),
págs. 1-8.
Estudio de los componentes narrativos de la novela, entendida
como la ficcionalización de la represión de la palabra.

HUARTE MORTON, Fernando, *«La familia de Pascual Duarte».
Recuento del cincuentenario (1942-1992) y algunas pape-
letas más,* Iria Flavia, O Tabeirón Namorado, Fundación
Camilo José Cela, 1994.
Las diferentes ediciones de la novela.

KRONIK, John W., «Encerramiento y apertura. *Pascual Duarte*
y su texto», *Anales de Literatura Española,* 6 (1988), págs.
309-323.
Pascual es escritor y escritura. Estudio estructural.

MALLO, Jerónimo, «Caracterización y valor del tremendismo en la novela española y contemporánea», *Hispania,* 39 (1956), págs. 49-55.
Análisis, dentro de la órbita del tremendismo, de *Nada* y el *Pascual.*

MARAÑÓN, Gregorio, «Prólogo a *La familia de Pascual Duarte», Ínsula,* 5 (1946).
Referencia histórica. Sigue teniendo interés.

MASOLIVER RÓDENAS, Juan Antonio, «Pascual Duarte y el capítulo trece», *Los cuadernos del Norte,* 15 (1982), págs. 4-9.
La novela como terapéutica para Pascual. Estudio temático.

RICO, Francisco, «La mirada de Pascual Duarte» (1992), *Los discursos del gusto. Notas sobre clásicos y contemporaneos,* Barcelona, Destino, 2003, págs. 106-115.

SOBEJANO, Gonzalo, «Reflexiones sobre *La familia de Pascual Duarte», Papeles de Son Armadans,* CXLII (1968), págs. 19-58.
Inteligente y riguroso análisis de la novela. Como es habitual en sus trabajos, lo que dice no menoscaba lo que sugiere.

SPIRES, Robert C., «La dinámica tonal de *La familia de Pascual Duarte», La novela española de postguerra,* Madrid, Cupsa, 1978, págs. 24-51.
Análisis del lector implícito identificado con la sociedad española inmediatamente posterior a la guerra civil.

URRUTIA, Jorge, *Cela: «La familia de Pascual Duarte». Los contextos y el texto.* Madrid, SGEL, 1982.
El libro más completo acerca de la novela. Documentación imprescindible. Lo más discutible la relación de la novela con la guerra civil.

VILANOVA, Antonio, *«El Pascual Duarte, de Cela,* veinte años después», *Destino* (13 de febrero de 1965).
La novela de Cela como drama rural y con señas de identidad valleinclanianas.

VILANOVA, ANTONIO, *«Pascual Duarte y Nada:* del drama rural a la novela existencial», *El País* (14 de marzo de 1985). Sobresaliente síntesis de las analogías y diferencias de las dos obras maestras de la narrativa española de la inmediata posguerra.

LA FAMILIA
DE PASCUAL DUARTE

Pascual Duarte, de limpio

Pascual Duarte, a fuerza de llevar tiempo y tiempo sin mudarse de ropa, estaba sucio y casi desconocido. Muy limpio, lo que se dice muy limpio, no lo fuera nunca, bien cierto es, pero tan sucio como últimamente andaba tampoco era su natural. Los libros que tienen muchas ediciones acaban siempre por ensuciarse y, de cuando en cuando, conviene fregotearles la cara para volverlos a su ser. Esto de la higiene es arte capcioso pero necesario, arte que si bien debe usarse con cautela para no caer en sus garras, fieras como las del vicio, tampoco es prudente huirlo ni despreciarlo. En Orense vivía un señor que se llamaba don Romualdo Vaqueriza Duque, quien motejaba al bidet de cabeza de puente de la masonería en la vetusta civilización hispana; la gente, como no sabía bien lo que quería decir eso de vetusta, lo dejaba hablar. Don Romualdo, que era muy aparente, murió de un incordio anal que, según la ciencia, quizás hubiera podido desprendérsele con jabón. A mí no me agradaría que el recuerdo de Pascual Duarte —¡pobre Pascual Duarte, muerto en garrote!— muriera como don Romualdo, de resultas de su miedo al agua.

Los escritores, por lo común, corregimos las pruebas de nuestras primeras ediciones y a veces, ni eso. Las que siguen las dejamos al cuidado de los editores quienes, quizá por aquello de su conocida afición al noble y entretenido juego del pasabola, delegan en el impresor, el que se apoya en el corrector de pruebas que, como anda de cabeza, llama en su auxilio a ese primo pobre que todos tenemos quien, como es más bien haragán, manda a un vecino. El resultado es que, al final, el texto no lo reconoce ni su padre: en este caso, un servidor de ustedes. Los libros, con frecuencia, mejoran con esa gratuita y tácita colaboración, pero los autores rara vez nos avenimos a reconocerlo y solemos preferir, quizás habitados por la soberbia, aquello que con mejor o peor fortuna habíamos escrito.

A veces pienso que escribir no es más que recopilar y ordenar y que los libros se están siempre escribiendo, a veces solos, incluso desde antes de empezar materialmente a escribirlos y aun después de ponerles su punto final. La cosecha de las sensaciones se tamiza en la criba de mil agujeros de la cabeza y cuando se siente madura y en sazón, se apunta en el papel y el libro nace. Lo que sucede es que el libro, después de nacer, sigue creciendo —armónico o desordenado— y evolucionando: en la cabeza de su autor, en la imaginación o en el sentimiento de los lectores y, por descontado, en las páginas de sus ulteriores ediciones. Estos crecimientos no son de la misma substancia, bien es verdad, pero todos le hacen crecer. Un niño crece de diferente manera que un cáncer, pero el cáncer —y eso es lo malo— también crece.

Con el Pascual Duarte casi he tenido —en esta ocasión— que recurrir a la cirugía para podarle lo que le sobraba tanto como para devolverle lo que le quitaron; al final, afortunadamente, bastó con una buena jabonadura. Aunque ahora, al releerlo al cabo de los años, me entraron tentaciones de acicalarlo con mayor esmero y pulcritud, he preferido dejar las cosas —en lo fundamental— como estaban y no andarle hurgando. No la hurgues, que es mocita y pierde —oí decir por el campo de Salamanca, algo más arriba del paisaje extremeño de Pascual Duarte. Además, mi cabeza no es la misma de hace veinte años y este libro es producto de mi cabeza aquella y no de mi cabeza de hoy. Seamos respetuosos con el calendario.

Montaigne llamaba al orden virtud triste y sombría. Probablemente, Montaigne confundió el orden con su máscara, con su mera apariencia; es actitud frecuente entre las gentes de orden, entre quienes llaman orden a lo que no es ritmo sino quietud y, a fuerza de no distinguir entre el culo y las cuatro témporas, acaban tomando el rábano por las hojas. Yo pienso que el orden es algo alegre, vivo y luminoso; lo que es triste y muerto y opaco es lo que suele darse, fraudulenta y enfáticamente, por orden, cuando en realidad no pasa de ser un vacío. El firmamento es un hermoso prodigio de orden. El orden público, por el contrario, no es más cosa, con harta frecuencia, que un caos silencioso al que se fuerza a fingir el límpido color del orden aunque, claro es, nadie acabe creyéndoselo.

Pero si a veces pienso que escribir y ordenar son una misma cosa, otras veces sospecho lo contrario y hasta llego a creer en la inspiración de que nos hablan los poetas románticos —esos grandes mixtificadores— y los críticos románticos —esos denodados paladines de la confusión. Entiendo saludable —no sé si sabio— no pensar siempre en lo adjetivo y sí, en cambio, variar un poco en lo substantivo y permanente. Lo digo a cuenta de que tampoco me extrañaría poder llegar a incluir a la inspiración en la órbita del orden.

A mi novela *La familia de Pascual Duarte,* después de lo mucho que sobre ella he trabajado, voy a procurar no tocarla más. Su texto original queda fijado (quizás fuera menos pedante decir: establecido) en esta edición y a ella procuraré remitirme siempre que lo necesite. Sus traducciones habrá que admitirlas tal como están, salvo que mis futuros traductores prefieran ajustarse al texto de hoy, cosa que habría que agradecerles. Como es de sentido común, las traducciones casi siempre he tenido que darlas por buenas porque, para revisarlas y comentarlas, precisaría de unos conocimientos que estoy muy lejos de poseer. En mis tiempos de La Coruña conocí y admiré mucho a un guardia municipal que se llamaba Castelo y que llevaba bordadas en la manga siete banderitas, una por cada país cuya lengua hablaba. No es mi caso y no me duelen prendas al reconocer que no hubiera podido servir para guardia urbano o, al menos, para guardia urbano coruñés; a lo mejor, en Jaén o en Cáceres exigen menos requisitos y sabidurías.

En fin: Pascual Duarte está limpio, que es lo importante. Ahora se dispone a empezar a morir de nuevo, poco a poco.

Palma de Mallorca, 23 de agosto de 1960

Dedico esta edición a mis enemigos, que tanto me han ayudado en mi carrera.

Nota del transcriptor

Me parece que ha llegado la ocasión de dar a la imprenta las memorias de Pascual Duarte. Haberlas dado antes hubiera sido quizás un poco precipitado; no quise acelerarme en su preparación, porque todas las cosas quieren su tiempo, incluso la corrección de la errada ortografía de un manuscrito, y porque a nada bueno ha de concluir una labor trazada, como quien dice, a uña de caballo. Haberlas dado después, no hubiera tenido, para mí, ninguna justificación; las cosas deben ser mostradas una vez acabadas.

Encontradas, las páginas que a continuación transcribo, por mí y a mediados del año 39, en una farmacia de Almendralejo —donde Dios sabe qué ignoradas manos las depositaron—, me he ido entreteniendo, desde entonces acá, en irlas traduciendo y ordenando, ya que el manuscrito —en parte debido a la mala letra y en parte también a que las cuartillas me las encontré sin numerar y no muy ordenadas—, era punto menos que ilegible.

Quiero dejar bien patente desde el primer momento, que en la obra que hoy presento al curioso lector no me pertenece sino la transcripción; no he corregido ni añadido ni una tilde, porque he querido respetar el relato hasta en su estilo. He preferido, en algunos pasajes demasiado crudos de la obra, usar de la tijera y cortar por lo sano; el procedimiento priva, evidentemente, al lector de conocer algunos pequeños detalles —que nada pierde con ignorar—; pero presenta, en cambio, la ventaja de evitar el que recaiga la vista en intimidades incluso repugnantes, sobre las que —repito— me pareció más conveniente la poda que el pulido.

El personaje, a mi modo de ver, y quizá por lo único que lo saco a la luz, es un modelo de conductas; un modelo no para imitarlo, sino para huirlo; un modelo ante el cual toda actitud de duda sobra; un modelo ante el que no cabe sino decir:

—¿Ves lo que hace? Pues hace lo contrario de lo que debiera.

Pero dejemos que hable Pascual Duarte, que es quien tiene cosas interesantes que contarnos.

Carta anunciando el envío del original

Señor don Joaquín Barrera López.
Mérida.

Muy señor mío:

Usted me dispensará de que le envíe este largo relato en compañía de esta carta, también larga para lo que es, pero como resulta que de los amigos de don Jesús González de la Riva (que Dios haya perdonado, como a buen seguro él me perdonó a mí) es usted el único del que guardo memoria de las señas, a usted quiero dirigirlo por librarme de su compañía, que me quema sólo de pensar que haya podido escribirlo, y para evitar el que lo tire en un momento de tristeza, de los que Dios quiere darme muchos por estas fechas, y prive de esa manera a algunos de aprender lo que yo no he sabido hasta que ha sido ya demasiado tarde.

Voy a explicarme un poco. Como desgraciadamente no se me oculta que mi recuerdo más ha de tener de maldito que de cosa alguna, y como quiero descargar, en lo que pueda, mi conciencia con esta pública confesión, que no es poca penitencia, es por lo que me he inclinado a relatar algo de lo que me acuerdo de mi vida. Nunca fue la memoria mi punto fuerte, y sé que es muy probable que me haya olvidado de muchas cosas incluso interesantes, pero a pesar de ello me he metido a contar aquella parte que no quiso borrárseme de la cabeza y que la mano no se resistió a trazar sobre el papel, porque otra parte hubo que al intentar contarla sentía tan grandes arcadas en el alma que preferí callármela y ahora olvidarla. Al empezar a escribir esta especie de memorias me daba buena cuenta de que algo habría en mi vida —mi muerte, que Dios quiera abreviar— que en modo alguno podría yo contar; mucho me dio que cavilar este asuntillo y, por la poca vida que me queda, podría jurarle que en más de una ocasión pensé desfallecer cuando la inteligencia no me esclarecía dónde debía poner punto final. Pensé que lo mejor sería empezar y dejar el desenlace para cuando Dios quisiera dejarme de la mano, y así lo hice; hoy, que parece que ya estoy aburrido de todos los cientos de hojas que llené con mi palabrería, suspendo definitivamente el seguir escribiendo para dejar a su imaginación la reconstrucción de lo que me quede todavía de vida, reconstrucción que no ha de serle difícil, porque, a más de ser poco seguramente, entre estas cuatro paredes no creo que grandes nuevas cosas me hayan de suceder.

Me atosigaba, al empezar a redactar lo que le envío, la idea de que por aquellas fechas ya alguien sabía si había de llegar al fin de mi relato, o dónde habría de cortar si el tiempo que he gastado hubiera ido mal medido y esa seguridad de que mis actos habían de ser, a la fuerza, trazados sobre surcos ya previstos, era algo que me sacaba de quicio. Hoy, más cerca ya de la otra vida, estoy más resignado. Que Dios se haya dignado darme su perdón.

Noto cierto descanso después de haber relatado todo lo que pasé, y hay momentos en que hasta la conciencia quiere remorderme menos.

Confío en que usted sabrá entender lo que mejor no le digo, porque mejor no sabría. Pesaroso estoy ahora de haber equivocado mi camino, pero ya ni pido perdón en esta vida. ¿Para qué? Tal vez sea mejor que hagan conmigo lo que está dispuesto, porque es más que probable que si no lo hicieran volviera a las andadas. No quiero pedir el indulto, porque es demasiado lo malo que la vida me enseñó y mucha mi flaqueza para resistir al instinto. Hágase lo que está escrito en el libro de los Cielos.

Reciba, señor don Joaquín, con este paquete de papel escrito, mi disculpa por haberme dirigido a usted, y acoja este ruego de perdón que le envía, como si fuera el mismo don Jesús, su humilde servidor.

Pascual Duarte

Cárcel de Badajoz, 15 de febrero de 1937

Cuarta: Ordeno que el paquete de papeles que hay en el cajón de mi mesa de escribir, atado con bramante y rotulado en lápiz rojo diciendo: *Pascual Duarte,* sea dado a las llamas sin leerlo, y sin demora alguna, por disolvente y contrario a las buenas costumbres. No obstante, y si la Providencia dispone que, sin mediar malas artes de nadie, el citado paquete se libre durante dieciocho meses de la pena que le deseo, ordeno al que lo encontrare lo libre de la destrucción, lo tome para su propiedad y disponga de él según su voluntad, si no está en desacuerdo con la mía.

....

Dado en Mérida (Badajoz) y en trance de muerte, a 11 de mayo de 1937.

A la memoria del insigne patricio don Jesús González de la Riva, Conde de Torreme-jía, quien al irlo a rematar el autor de este escrito, le llamó Pascualillo y sonreía.

P. D.

1

Yo, señor, no soy malo, aunque no me faltarían motivos para serlo. Los mismos cueros tenemos todos los mortales al nacer y sin embargo, cuando vamos creciendo, el destino se complace en variarnos como si fuésemos de cera y en destinarnos por sendas diferentes al mismo fin: la muerte. Hay hombres a quienes se les ordena marchar por el camino de las flores, y hombres a quienes se les manda tirar por el camino de los cardos y de las chumberas. Aquéllos gozan de un mirar sereno y al aroma de su felicidad sonríen con la cara del inocente; estos otros sufren del sol violento de la llanura y arrugan el ceño como las alimañas por defenderse. Hay mucha diferencia entre adornarse las carnes con arrebol y colonia, y hacerlo con tatuajes que después nadie ha de borrar ya.

Nací hace ya muchos años —lo menos cincuenta y cinco— en un pueblo perdido por la provincia de Badajoz; el pueblo estaba a unas dos leguas de Almendralejo, agachado sobre una carretera lisa y larga como un día sin pan, lisa y larga como los días —de una lisura y una largura como usted para su bien, no puede ni figurarse— de un condenado a muerte.

Era un pueblo caliente y soleado, bastante rico en olivos y guarros (con perdón), con las casas pintadas tan blancas, que aún me duele la vista al recordarlas, con una plaza toda de losas, con una hermosa fuente de tres caños en medio de la plaza. Hacía ya varios años, cuando del pueblo salí, que no manaba el agua de las bocas y sin embargo, ¡qué airosa!, ¡qué elegante!, nos parecía a todos la fuente con su remate figurando un niño desnudo, con su bañera toda rizada al borde como las conchas de los romeros. En la plaza estaba el ayuntamiento, que era grande y cuadrado como un cajón de tabaco, con una torre en medio, y en la torre un reló, blanco como una hostia, parado siempre en las nueve como si el pueblo no necesitase de su servicio, sino sólo de su adorno. En el pueblo, como es natural, había casas buenas y casas malas, que son, como pasa con todo, las que más abundan; había una de dos pisos, la de don Jesús, que daba gozo de verla con su recibidor todo lleno de azulejos y macetas. Don Jesús había sido siempre muy partidario de las plantas, y para mí que tenía ordenado al ama vigilase los geranios, y los heliotropos, y las palmas, y la yerbabuena, con el mismo cariño que si fuesen hijos, porque la vieja andaba siempre correteando con un cazo en la mano, regando los tiestos con un mimo que a no dudar agradecían los tallos, tales eran su lozanía y su verdor. La casa de don Jesús estaba también en la plaza y, cosa rara para el capital del dueño que no reparaba en gastar, se diferenciaba de las demás, además de en todo lo bueno que llevo dicho, en una cosa en la que todos le ganaban: en la fachada, que aparecía del color natural de la piedra, que tan ordinario hace, y no enjalbegada como hasta la del más pobre estaba; sus motivos tendría. Sobre el portal había unas piedras de escudo, de mucho valer, según dicen, terminadas en unas cabezas de guerreros de la antigüedad, con su cabezal y sus plumas, que miraban, una para el levante y otra para el poniente, como si quisieran representar que estaban vigilando lo que de un lado o de otro podríales venir. Detrás de la plaza, y por la parte de la casa de don Jesús, estaba la parroquial con su campanario de piedra y su esquilón que sonaba de una manera que no podría contar, pero que se me viene a la memoria como si estuviese sonando por estas esquinas. La torre del campanario era del mismo alto que la del reló y en verano, cuando venían las cigüeñas, ya sabían en qué torre habían estado el verano anterior; la cigüeña cojita, que aún aguantó dos inviernos, era del nido de la parroquial, de donde hubo de caerse, aún muy tierna, asustada por el gavilán.

Mi casa estaba fuera del pueblo, a unos doscientos pasos largos de las últimas de la piña. Era estrecha y de un solo piso, como correspondía a mi posición, pero como llegué a tomarle cariño, temporadas hubo en que hasta me sentía orgulloso de ella. En realidad lo único de la casa que se podía ver era la cocina, lo primero que se encontraba al entrar, siempre limpia y blanqueada con primor; cierto es que el suelo era de tierra, pero tan bien pisada la tenía, con sus guijarrillos haciendo dibujos, que en nada desmerecía de otras muchas en las que el dueño había echado porlan por sentirse más moderno. El hogar era amplio y despejado y alrededor de la campana teníamos un vasar con lozas de adorno, con jarras con recuerdos, pintados en azul, con platos con dibujos azules o naranja; algunos platos tenían una cara pintada, otros una flor, otros un nombre, otros un pescado. En las paredes teníamos varias cosas; un calendario muy bonito que representaba una joven abanicándose sobre una barca y debajo de la cual se leía en letras que parecían de polvillo de plata, «Modesto Rodríguez. Ultramarinos finos. Mérida (Badajoz)», un retrato del Espartero con el traje de luces dado de color y tres o cuatro fotografías —unas pequeñas y otras regular— de no sé quién, porque siempre las vi en el mismo sitio y no se me ocurrió nunca preguntar. Teníamos también un reló despertador colgado de la pared, que no es por nada, pero siempre funcionó como Dios manda, y un acerico de peluche colorado, del que estaban clavados unos bonitos alfileres con sus cabecitas de vidrio de color. El mobiliario de la cocina era tan escaso como sencillo: tres sillas —una de ellas muy fina, con su respaldo y sus patas de madera curvada, y su culera de rejilla— y una mesa de pino, con su cajón correspondiente, que resultaba algo baja para las sillas, pero hacía su avío. En la cocina se estaba bien: era cómoda y en el verano, como no la encendíamos, se estaba fresco sentado sobre la piedra del hogar cuando, a la caída de la tarde, abríamos las puertas de par en par; en el invierno se estaba caliente con las brasas que, a veces, cuidándolas un poco, guardaban el rescoldo toda la noche. ¡Era gracioso mirar las sombras de nosotros por la pared, cuando había unas llamitas! Iban y venían, unas veces lentamente, otras a saltitos como jugando. Me acuerdo que de pequeño, me daba miedo, y aún ahora, de mayor, me corre un estremecimiento cuando traigo memoria de aquellos miedos.

El resto de la casa no merece la pena ni describirlo, tal era su vulgaridad. Teníamos otras dos habitaciones, si habitaciones hemos de llamarlas por eso de que estaban habitadas, ya que no por otra cosa alguna, y la cuadra, que en muchas ocasiones pienso ahora que no sé por qué la llamábamos así, de vacía y desamparada como la teníamos. En una de las habitaciones dormíamos yo y mi mujer, y en la otra mis padres hasta que Dios, o quién sabe si el diablo, quiso llevárselos; después quedó vacía casi siempre, al principio porque no había quien la ocupase, y más tarde, cuando podía haber habido alguien; porque este alguien prefirió siempre la cocina, que además de ser más clara no tenía soplos. Mi hermana, cuando venía, dormía siempre en ella, y los chiquillos, cuando los tuve, también tiraban para allí en cuanto se despegaban de la madre. La verdad es que las habitaciones no estaban muy limpias ni muy construidas, pero en realidad tampoco había para quejarse; se podía vivir, que es lo principal, a resguardo de las nubes de la navidad, y a buen recaudo —para lo que uno se merecía— de las asfixias de la Virgen de agosto. La cuadra era lo peor; era lóbrega y oscura, y en sus paredes estaba empapado el mismo olor a bestia muerta que desprendía el despeñadero cuando allá por el mes de mayo comenzaban los animales a criar la carroña que los cuervos habíanse de comer.

Es extraño pero, de mozo, si me privaban de aquel olor me entraban unas angustias como de muerte; me acuerdo de aquel viaje que hice a la capital por mor de las quintas; anduve todo el día de Dios desazonado, venteando los aires como un perro de caza. Cuando me fui a acostar, en la posada, olí mi pantalón de pana. La sangre me calentaba todo el cuerpo. Quité a un lado la almohada y apoyé la cabeza para dormir sobre mi pantalón, doblado. Dormí como una piedra aquella noche.

En la cuadra teníamos un burrillo matalón y escurrido de carnes que nos ayudaba en la faena y, cuando las cosas venían bien dadas, que dicho sea pensando en la verdad no siempre ocurría, teníamos también un par de guarros (con perdón) o tres. En la parte de atrás de la casa teníamos un corral o saledizo, no muy grande, pero que nos hacía su servicio, y en él un pozo que andando el tiempo hube de cegar porque dejaba manar un agua muy enfermiza.

Por detrás del corral pasaba un regato, a veces medio seco y nunca demasiado lleno, cochino y maloliente como tropa de gitanos, y en el que podían cogerse unas anguilas hermosas, como yo algunas tardes y por matar el tiempo me entretenía en hacer. Mi mujer, que en medio de todo tenía gracia, decía que las anguilas estaban rollizas porque comían lo mismo que don Jesús, sólo que un día más tarde. Cuando me daba por pescar se me pasaban las horas tan sin sentirlas, que cuando tocaba a recoger los bártulos casi siempre era de noche; allá, a lo lejos, como una tortuga baja y gorda, como una culebra enroscada que temiese despegarse del suelo, Almendralejo comenzaba a encender sus luces eléctricas. Sus habitantes a buen seguro que ignoraban que yo había estado pescando, que estaba en aquel momento mismo mirando cómo se encendían las luces de sus casas, imaginando incluso cómo muchos de ellos decían cosas que a mí se me figuraban o hablaban de cosas que a mí se me ocurrían. ¡Los habitantes de las ciudades viven vueltos de espaldas a la verdad y muchas veces ni se dan cuenta siquiera de que a dos leguas, en medio de la llanura, un hombre del campo se distrae pensando en ellos mientras dobla la caña de pescar, mientras recoge del suelo el cestillo de mimbre con seis o siete anguilas dentro!

Sin embargo, la pesca siempre me pareció pasatiempo poco de hombres, y las más de las veces dedicaba mis ocios a la caza; en el pueblo me dieron fama de no hacerlo mal del todo y, modestia aparte, he de decir con sinceridad que no iba descaminado quien me la dio. Tenía una perrilla perdiguera —la Chispa—, medio ruin, medio bravía, pero que se entendía muy bien conmigo; con ella me iba muchas mañanas hasta la Charca, a legua y media del pueblo hacia la raya de Portugal, y nunca nos volvíamos de vacío para casa. Al volver, la perra se me adelantaba y me esperaba siempre junto al cruce; había allí una piedra redonda y achatada como una silla baja, de la que guardo tan grato recuerdo como de cualquier persona; mejor, seguramente, que el que guardo de muchas de ellas. Era ancha y algo hundida y cuando me sentaba se me escurría un poco el trasero (con perdón) y quedaba tan acomodado que sentía tener que dejarla; me pasaba largos ratos sentado sobre la piedra del cruce, silbando, con la escopeta entre las piernas, mirando lo que había de verse, fumando pitillos. La perrilla, se sentaba enfrente de mí, sobre sus dos patas de atrás, y me miraba, con la cabeza ladeada, con sus dos ojillos castaños muy despiertos; yo le hablaba y ella, como si quisiese entenderme mejor, levantaba un poco las orejas; cuando me callaba aprovechaba para dar unas carreras detrás de los saltamontes, o simplemente para cambiar de postura. Cuando me marchaba, siempre, sin saber por qué, había de volver la cabeza hacia la piedra, como para despedirme, y hubo un día que debió parecerme tan triste por mi marcha, que no tuve más suerte que volver sobre mis pasos a sentarme de nuevo. La perra volvió a echarse frente a mí y volvió a mirarme; ahora me doy cuenta de que tenía la mirada de los confesores, escrutadora y fría, como dicen que es la de los linces... Un temblor recorrió todo mi cuerpo; parecía como una corriente que forzaba por salirme por los brazos. El pitillo se me había apagado; la escopeta, de un solo caño, se dejaba acariciar, lentamente, entre mis piernas. La perra seguía mirándome fija, como si no me hubiera visto nunca, como si fuese a culparme de algo de un momento a otro, y su mirada me calentaba la sangre de las venas de tal manera que se veía llegar el momento en que tuviese que entregarme; hacía calor, un calor espantoso, y mis ojos se entornaban dominados por el mirar, como un clavo, del animal.

Cogí la escopeta y disparé; volví a cargar y volví a disparar. La perra tenía una sangre oscura y pegajosa que se extendía poco a poco por la tierra.

2

De mi niñez no son precisamente buenos recuerdos los que guardo. Mi padre se llamaba Esteban Duarte Diniz, y era portugués, cuarentón cuando yo niño, y alto y gordo como un monte. Tenía la color tostada y un estupendo bigote negro que se echaba para abajo. Según cuentan, cuando joven le tiraban las guías para arriba, pero, desde que estuvo en la cárcel, se le arruinó la prestancia, se le ablandó la fuerza del bigote y ya para abajo hubo que llevarlo hasta el sepulcro. Yo le tenía un gran respeto y no poco miedo, y siempre que podía escurría el bulto y procuraba no tropezármelo; era áspero y brusco y no toleraba que se le contradijese en nada, manía que yo respetaba por la cuenta que me tenía. Cuando se enfurecía, cosa que le ocurría con mayor frecuencia de lo que se necesitaba, nos pegaba a mi madre y a mí las grandes palizas por cualquiera la cosa, palizas que mi madre procuraba devolverle por ver de corregirlo, pero ante las cuales a mí no me quedaba sino resignación dados mis pocos años. ¡Se tienen las carnes muy tiernas a tan corta edad!

Ni con él ni con mi madre me atreví nunca a preguntar de cuando lo tuvieron encerrado, porque pensé que mayor prudencia sería el no meter los perros en danza, que ya por sí solos danzaban más de lo conveniente; claro es que en realidad no necesitaba preguntar nada porque como nunca faltan almas caritativas, y menos en los pueblos de tan corto personal, gentes hubo a quienes faltó tiempo para venir a contármelo todo.

Lo guardaron por contrabandista; por lo visto había sido su oficio durante muchos años, pero como el cántaro que mucho va a la fuente acaba por romperse, y como no hay oficio sin quiebra, ni atajo sin trabajo, un buen día, a lo mejor cuando menos lo pensaba —que la confianza es lo que pierde a los valientes—, le siguieron los carabineros, le descubrieron el alijo, y lo mandaron a presidio. De todo esto debía hacer ya mucho tiempo, porque yo no me acuerdo de nada; a lo mejor ni había nacido.

Mi madre, al revés que mi padre, no era gruesa, aunque andaba muy bien de estatura; era larga y chupada y no tenía aspecto de buena salud, sino que, por el contrario, tenía la tez cetrina y las mejillas hondas y toda la presencia o de estar tísica o de no andarle muy lejos; era también desabrida y violenta, tenía un humor que se daba a todos los diablos y un lenguaje en la boca que Dios le haya perdonado, porque blasfemaba las peores cosas a cada momento y por los más débiles motivos. Vestía siempre de luto y era poco amiga del agua, tan poco que si he de decir la verdad, en todos los años de su vida que yo conocí, no la vi lavarse más que en una ocasión en que mi padre la llamó borracha y ella quiso como demostrarle que no le daba miedo el agua. El vino en cambio ya no le disgustaba tanto y siempre que apañaba algunas perras, o que le rebuscaba el chaleco al marido, me mandaba a la taberna por una frasca que escondía, porque no se la encontrase mi padre, debajo de la cama. Tenía un bigotillo cano por las esquinas de los labios, y una pelambrera enmarañada y zafia que recogía en un moño, no muy grande, encima de la cabeza. Alrededor de la boca se le notaban unas cicatrices o señales, pequeñas y rosadas como perdigonadas, que según creo, le habían quedado de una bubas malignas que tuviera de joven; a veces, por el verano, a las señales les volvía la vida, se les subía la color y acababan formando como alfileritos de pus que el otoño se ocupaba de matar y el invierno de barrer.

Se llevaban mal mis padres; a su poca educación se unía su escasez de virtudes y su falta de conformidad con lo que Dios les mandaba —defectos todos ellos que para mi desgracia hube de heredar— y esto hacía que se cuidaran bien poco de pensar los principios y de refrenar los instintos, lo que daba lugar a que cualquier motivo, por pequeño que fuese, bastara para desencadenar la tormenta que se prolongaba después días y días sin que se le viese el fin. Yo, por lo general, no tomaba el partido de ninguno porque si he de decir verdad tanto me daba el que cobrase el uno como el otro; unas veces me alegraba de que zurrase mi padre y otras mi madre, pero nunca hice de esto cuestión de gabinete.

Mi madre no sabía leer ni escribir; mi padre sí, y tan orgulloso estaba de ello que se lo echaba en cara cada lunes y cada martes y, con frecuencia y aunque no viniera a cuento, solía llamarla ignorante, ofensa gravísima para mi madre, que se ponía como un basilisco. Algunas tardes venía mi padre para casa con un papel en la mano y, quisiéramos que no, nos sentaba a los dos en la cocina y nos leía las noticias; venían después los comentarios y en ese momento yo me echaba a temblar porque estos comentarios eran siempre el principio de alguna bronca. Mi madre, por ofenderlo, le decía que el papel no decía nada de lo que leía y que todo lo que decía se lo sacaba mi padre de la cabeza, y a éste, el oírla esa opinión le sacaba de quicio; gritaba como si estuviera loco, la llamaba ignorante y bruja y acababa siempre diciendo a grandes voces que si él supiera decir esas cosas de los papeles a buena hora se le hubiera ocurrido casarse con ella. Ya estaba armada. Ella le llamaba desgraciado y peludo, lo tachaba de hambriento y portugués, y él, como si esperara a oír esa palabra para golpearla, se sacaba el cinturón y la corría todo alrededor de la cocina hasta que se hartaba. Yo, al principio, apañaba algún cintarazo que otro, pero cuando tuve más experiencia y aprendí que la única manera de no mojarse es no estando a la lluvia, lo que hacía, en cuanto veía que las cosas tomaban mal cariz, era dejarlos solos y marcharme. Allá ellos.

La verdad es que la vida en mi familia poco tenía de placentera, pero como no nos es dado escoger, sino que ya —y aun antes de nacer— estamos destinados unos a un lado y otros a otro, procuraba conformarme con lo que me había tocado, que era la única manera de no desesperar. De pequeño, que es cuando más manejable resulta la voluntad de los hombres, me mandaron una corta temporada a la escuela; decía mi padre que la lucha por la vida era muy dura y que había que irse preparando para hacerla frente con las únicas armas con las que podíamos dominarla, con las armas de la inteligencia. Me decía todo esto de un tirón y como aprendido, y su voz en esos momentos me parecía más velada y adquiría unos matices insospechados para mí. Después, y como arrepentido, se echaba a reír estrepitosamente y acababa siempre por decirme, casi con cariño:

—No hagas caso, muchacho. ¡Ya voy para viejo!

Y se quedaba pensativo y repetía en voz baja una y otra vez:

—¡Ya voy para viejo…! ¡Ya voy para viejo…!

Mi instrucción escolar poco tiempo duró. Mi padre, que, como digo, tenía un carácter violento y autoritario para algunas cosas, era débil y pusilánime para otras: en general tengo observado que el carácter de mi padre sólo lo ejercitaba en asuntillos triviales, porque en las cosas de trascendencia, no sé si por temor o por qué, rara vez hacía hincapié. Mi madre no quería que fuese a la escuela y siempre que tenía ocasión, y aun a veces sin tenerla, solía decirme que para no salir en la vida de pobre no valía la pena aprender nada. Dio en terreno abonado, porque a mí tampoco me seducía la asistencia a las clases y entre los dos, y con la ayuda del tiempo, acabamos convenciendo a mi padre que optó porque abandonase los estudios. Sabía ya leer y escribir, y sumar y restar, y en realidad para manejarme ya tenía bastante. Cuando dejé la escuela tenía doce años; pero no vayamos tan de prisa, que todas las cosas quieren su orden y no por mucho madrugar amanece más temprano.

Era yo de bien corta edad cuando nació mi hermana Rosario. De aquel tiempo guardo un recuerdo confuso y vago y no sé hasta qué punto relataré fielmente lo sucedido; voy a intentarlo, sin embargo, pensando que si bien mi relato pueda pecar de impreciso, siempre estará más cerca de la realidad que las figuraciones que, de imaginación y a ojo de buen cubero, pudiera usted hacerse. Me acuerdo de que hacía calor la tarde en que nació Rosario; debía ser por julio o agosto. El campo estaba en calma y agostado y las chicharras, con sus sierras, parecían querer limarle los huesos a la tierra; las gentes y las bestias estaban recogidas y el sol, allá en lo alto, como señor de todo, iluminándolo todo, quemándolo todo... Los partos de mi madre fueron siempre muy duros y dolorosos; era medio machorra y algo seca y el dolor era en ella superior a sus fuerzas. Como la pobre nunca fue un modelo de virtudes ni de dignidades y como no sabía sufrir y callar, como yo, lo resolvía todo a gritos. Llevaba ya gritando varias horas cuando nació Rosario, porque —para colmo de desdichas— era de parto lento. Ya lo dice el refrán: mujer de parto lento y con bigote... (la segunda parte no la escribo en atención a la muy alta persona a quien estas líneas van dirigidas). Asistía a mi madre una mujer del pueblo, la señora Engracia, la del Cerro, especialista en duelos y partera, medio bruja y un tanto misteriosa, que había llevado consigo unas mixturas que aplicaba en el vientre de mi madre para aplacarla la dolor, pero como ésta, con ungüento o sin él, seguía dando gritos hasta más no poder, a la señora Engracia no se le ocurrió mejor cosa que tacharla de descreída y mala cristiana, y como en aquel momento los gritos de mi madre arreciaban como el vendaval, yo llegué a pensar si no sería cierto que estaba endemoniada. Mi duda poco duró porque pronto quedó esclarecido que la causa de las desusadas voces había sido mi nueva hermana.

Mi padre llevaba ya un largo rato paseando a grandes zancadas por la cocina. Cuando Rosario nació se arrimó hasta la cama de mi madre y sin consideración ninguna de la circunstancia, la empezó a llamar bribona y zorra y a arrearle tan fuertes hebillazos que extrañado estoy todavía de que no la haya molido viva. Después se marchó y tardó dos días enteros en volver; cuando lo hizo venía borracho como una bota; se acercó a la cama de mi madre y la besó; mi madre se dejaba besar... Después se fue a dormir a la cuadra.

A Rosario le armaron un tingladillo con un cajón no muy hondo, en cuyos fondos esparramaron una almohada entera de borra, y allí la tuvieron, orilla a la cama de mi madre, envuelta en tiras de algodón y tan tapada que muchas veces me daba por pensar que acabarían por ahogarla. No sé por qué, hasta entonces, se me había ocurrido imaginar a los niños pequeños blancos como la leche, pero de lo que sí me acuerdo es de la mala impresión que me dio mi hermanilla cuando la vi pegajosa y colorada como un cangrejo cocido; tenía una pelusa rala por la cabeza, como la de los estorninos o la de los pichones en el nido, que andando los meses hubo de perder, y las manitas agarrotadas y tan claras que mismo daba grima el verlas. Cuando a los tres o cuatro días de nacer le desenrollaron las tiras por ver de limpiarla un poco, pude fijarme bien en cómo era y casi puedo decir que no me diera tanta repugnancia como la primera vez: la color le había clareado, los ojitos —que aún no abría— parecían como querer mover los párpados, y ya las manos me daban la impresión de haber ablandado. La limpió bien limpiada con agua de romero la señora Engracia, que otra cosa pudiera ser que no, pero asistenta de los desgraciados sí lo era; la envolvió de nuevo en las tiras que libraron menos pringadas; echó a un lado, por lavarlas, aquellas otras que salieron peor tratadas, y dejó a la criatura tan satisfecha, que tantas horas seguidas hubo de dormir, que nadie —por el silencio de mi casa— hubiera dado a pensar que habíamos estado de parto. Mi padre se sentaba en el suelo, a la vera del cajón, y mirando para la hija se le pasaban las horas, con una cara de enamorado, como decía la señora Engracia, que a mí casi me hacía olvidar su verdadero sistema. Después se levantaba, se iba a dar una vuelta por el pueblo, y cuando menos lo pensábamos, a la hora a que menos costumbre teníamos de verlo venir allí lo teníamos, otra vez al lado del cajón, con la cara blanda y la mirada tan humilde que cualquiera que lo hubiera visto, de no conocerlo, se hubiera creído ante el mismísimo San Roque.

Rosario se nos crió siempre debilucha y esmirriada —¡poca vida podía sacar de los vacíos pechos de mi madre!— y sus primeros tiempos fueron tan difíciles que en más de una ocasión estuvo a pique de marcharse. Mi padre andaba desazonado viendo que la criatura no prosperaba, y como lo resolvía todo echándose más vino por el gaznate, nos tocó pasar a mi madre y a mí por una temporada que tan mala llegó a ser que echábamos de menos el tiempo pasado, que tan duro nos parecía cuando no lo habíamos conocido peor. ¡Misterios de la manera de ser de los mortales que tanto aborrecen de lo que tienen para después echarlo de menos! Mi madre, que había quedado aún más baja de salud que antes de parir, apañaba unas tundas soberanas, y a mí, que no le resultaba nada fácil cogerme, me arreaba unas punteras al desgaire cuando me tropezaba, que vez hubo de levantarme la sangre del trasero (con perdón), o de dejarme el costillar tan señalado como si me lo hubiera tocado con el hierro de marcar.

Poco a poco la niña se fue reponiendo y cobrando fuerzas con unas sopas de vino tinto que a mi madre la recetaron, y como era de natural despierto, y el tiempo no pasaba en balde, si bien tardó algo más de lo corriente en aprender a andar, rompió a hablar de muy tierna con tal facilidad y tal soltura que a todos nos tenía como embobados con sus gracias.

Pasó ese tiempo en que los chiquillos están siempre igual. Rosario creció, llegó a ser casi una mocita, y en cuanto reparamos en ella dimos a observar que era más avisada que un lagarto, y como en mi familia nunca nos diera a nadie por hacer uso de los sesos para el objeto con que nos fueron dados, pronto la niña se hizo la reina de la casa y nos hacía andar a todos más derechos que varas. Si el bien hubiera sido su natural instinto, grandes cosas hubiera podido hacer, pero como Dios se conoce que no quiso que ninguno de nosotros nos distinguiésemos por las buenas inclinaciones, encarriló su discurrir hacia otros menesteres y pronto nos fue dado el conocer que si bien no era tonta, más hubiera valido que lo fuese; servía para todo y para nada bueno: robaba con igual gracia y donaire que una gitana vieja, se aficionó a la bebida de bien joven, servía de alcahueta para los devaneos de la vieja, y como nadie se ocupó de enderezarla —y de aplicar al bien tan claro discurrir— fue de mal en peor hasta que un día, teniendo la muchacha catorce años, arrambló con lo poco de valor que en nuestra choza había, y se marchó a Trujillo, a casa de la Elvira. El efecto que su marcha produjo en mi casa ya se puede figurar usted cuál fue; mi padre culpaba a mi madre, mi madre culpaba a mi padre... En lo que más se notó la falta de Rosario fue en las escandaleras de mi padre, porque si antes, cuando ella estaba, procuraba armarlas fuera de su presencia, ahora, al faltar, y al no estar ella nunca delante, cualquiera hora y lugar le parecía bueno para organizarlas. Es curioso pensar que mi padre, que a bruto y cabezón ganaban muy pocos, era a ella la única persona que escuchaba; bastaba una mirada de Rosario para calmar sus iras, y en más de una ocasión buenos golpes se ahorraron con su sola presencia. ¡Quién iba a suponer que a aquel hombrón lo había de dominar una tierna criatura!

En Trujillo tiró hasta cinco meses, pasados los cuales unas fiebres la devolvieron, medio muerta, a casa, donde estuvo encamada cerca de un año porque las fiebres, que eran de orden maligna, la tuvieron tan cerca del sepulcro que por oficio de mi padre —que borracho y pendenciero sí sería, pero cristiano viejo y de la mejor ley también lo era— llegó a estar sacramentada y preparada por si había de hacer el último viaje. La enfermedad tuvo, como todas, sus alternativas, y a los días en

que parecía como revivir sucedían las noches en que todos estábamos en que se nos quedaba; el humor de mis padres era
como sombrío, y de aquel triste tiempo sólo guardo como recuerdo de paz el de los meses que pasaron sin que sonaran golpes entre aquellas paredes, ¡tan apurado andaba el par de viejos!... Las vecinas echaban todas su cuarto a espadas por
recetarla yerbas, pero como la que mayor fe nos daba era la
señora Engracia, a ella hubimos de recurrir y a sus consejos,
por ver de sanarla; complicada fue, bien lo sabe Dios, la curación que la mandó, pero como se le hizo poniendo todos los
cinco sentidos bien debió de probarla, porque aunque despacio,
se la veía que le volvía la salud. Como ya dice el refrán, yerba
mala nunca muere, y sin que yo quiera decir con esto que Rosario fuera mala (si bien tampoco pondría una mano en el
fuego por sostener que fuera buena), lo cierto es que después
de tomados los cocimientos que la señora Engracia dijera, sólo
hubo que esperar a que pasase el tiempo para que recobrase la
salud, y con ella su prestancia y lozanía.

No bien se puso buena, y cuando la alegría volvía otra vez a
casa de mis padres, que en lo único que estaban acordes era en
su preocupación por la hija, volvió a hacer el pirata la muy
zorra, a llenarse la talega con los ahorros del padre y sin más
reverencias, y como a la francesa, volvió a levantar el vuelo y
a marcharse, esta vez camino de Almendralejo, donde paró en
casa de Nieves la Madrileña; cierto es, o por tal lo tengo, que
aun al más ruin alguna fibra de bueno siempre le queda, porque Rosario no nos echó del todo en el olvido y alguna vez
—por nuestro santo o por las navidades— nos tiraba con algún chaleco, que aunque nos venía justo y recibido como faja
por vientre satisfecho, su mérito tenía porque ella, aunque con
más relumbrón por aquello de que había que vestir el oficio,
tampoco debía nadar en la abundancia. En Almendralejo hubo
de conocer al hombre que había de labrarle la ruina; no la de
la honra, que bien arruinada debía andar ya por entonces, sino
la del bolsillo, que una vez perdida aquélla, era por la única
que tenía que mirar. Llamábase el tal sujeto Paco López, por

mal nombre el Estirao, y de él me es forzoso reconocer que
era guapo mozo, aunque no con un mirar muy decidido, porque por tener un ojo de vidrio en el sitio donde Dios sabrá
en qué hazaña perdiera el de carne, su mirada tenía una deso-
rientación que perdía al más plantado; era alto, medio rubiales,
juncal y andaba tan derechito que no se equivocó por cierto
quien le llamó por vez primera el Estirao; no tenía mejor oficio que su cara porque, como las mujeres tan memas son que
lo mantenían, el hombre prefería no trabajar, cosa que si me
parece mal, no sé si será porque yo nunca tuve ocasión de hacer. Según cuentan, en tiempos anduviera de novillero por las
plazas andaluzas; yo no sé si creerlo porque no me parecía
hombre valiente más que con las mujeres, pero como éstas, y
mi hermana entre ellas, se lo creían a pies juntillas, él se daba
la gran vida, porque ya sabe usted lo mucho que dan en valo-
rar las mujeres a los toreros. En una ocasión, andando yo a la
perdiz bordeando la finca de Los Jarales —de don Jesús— me
tropecé con él, que por tomar el aire se había ido de Almendralejo medio millar de pasos por el monte; iba muy bien ves-
tidito con su terno café, con su visera y con un mimbre en la
mano. Nos saludamos y el muy ladino, como viera que no le
preguntaba por mi hermana, quería tirarme de la lengua por
ver de colocarme las frasecitas; yo resistía y él debió de notar
que me achicaba porque sin más ni más y como quien no
quiere la cosa, cuando ya teníamos mano sobre mano para
marcharnos, me soltó:

—¿Y la Rosario?

—Tú sabrás...

—¿Yo?

—¡Hombre! ¡Si no lo sabes tú!

—¿Y por qué he de saberlo?

Lo decía tan serio que cualquiera diría que no había mentido
en su vida; me molestaba hablar con él de la Rosario, ya ve usted lo que son las cosas.

El hombre daba golpecitos con la vara sobre las matas de
tomillo.

—Pues sí, ¡para que lo sepas!, ¡está bien! ¿No lo querías saber?

—¡Mira, Estirao! ¡Mira, Estirao! ¡Que soy muy hombre y que no me ando por las palabras! ¡No me tientes!... ¡No me tientes!...

—¿Pero qué te he de tentar, si no tienes dónde? ¿Pero qué quieres saber de la Rosario? ¿Qué tiene que ver contigo la Rosario? ¿Que es tu hermana? Bueno ¿y qué? También es mi novia, si vamos a eso.

A mí me ganaba por la palabra, pero si hubiéramos acabado por llegar a las manos le juro a usted por mis muertos que lo mataba antes de que me tocase un pelo. Yo me quise enfriar porque me conocía la carácter y porque de hombre a hombre no está bien reñir con una escopeta en la mano cuando el otro no la tiene.

—Mira, Estirao, ¡más vale que nos callemos! ¿Que es tu novia? Bueno, ¡pues que lo sea! ¿Y a mí qué?

El Estirao se reía; parecía como si quisiera pelea.

—¿Sabes lo que te digo?

—¡Qué!

—Que si tú fueses el novio de mi hermana, te hubiera matado.

Bien sabe Dios que el callarme aquel día me costó la salud; pero no quería darle, no sé por qué habrá sido. Me resultaba extraño que me hablaran así; en el pueblo nadie se hubiera atrevido a decirme la mitad.

—Y que si te tropiezo otro día rondándome, te mato en la plaza por la feria.

—¡Mucha chulería es ésa!

—¡A pinchazos!

—¡Mira, Estirao!... ¡Mira, Estirao!...

....

Aquel día se me clavó una espina en un costado que todavía la tengo clavada.

Por qué no la arranqué en aquel momento es cosa que aún hoy no sé. Andando el tiempo, de otra temporada que, por reparar otras fiebres, vino a pasar mi hermana con nosotros, me contó el fin de aquellas palabras: cuando el Estirao llegó aquella noche a casa de la Nieves a ver a la Rosario, la llamó aparte.

—¿Sabes que tienes un hermano que ni es hombre ni es nada?

—...

—¿Y que se achanta como los conejos en cuanto oyen voces?

Mi hermana salió por defenderme, pero de poco le valió; el hombre había ganado. Me había ganado a mí que fue la única pelea que perdí por no irme a mi terreno.

—Mira, paloma; vamos a hablar de otra cosa. ¿Qué hay?

—Ocho pesetas.

—¿Nada más?

—Nada más. ¿Qué quieres? ¡Los tiempos están malos...!

El Estirao le cruzó la cara con la varita de mimbre hasta que se hartó.

Después...

—¿Sabes que tienes un hermano que ni es hombre ni es nada?

....

Mi hermana me pidió por su salud que me quedase en el pueblo.

La espina del costado estaba como removida. Por qué no la arranqué en aquel momento es cosa que aún hoy no sé...

4

Usted sabrá disculpar el poco orden que llevo en el relato, que por eso de seguir por la persona y no por el tiempo me hace andar saltando del principio al fin y del fin a los principios como langosta vareada, pero resulta que de manera alguna, que ésta no sea, podría llevarlo, ya que lo suelto como me sale y a las mientes me viene, sin pararme a construirlo como una novela, ya que, a más de que probablemente no me saldría, siempre estaría a pique del peligro que me daría el empezar a hablar y a hablar para quedarme de pronto tan ahogado y tan parado que no supiera por dónde salir.

Los años pasaban sobre nosotros como sobre todo el mundo, la vida en mi casa discurría por las mismas sendas de siempre, y si no he de querer inventar, pocas noticias que usted no se figure puedo darle de entonces.

A los quince años de haber nacido la niña, y cuando por lo muy chupada que mi madre andaba y por el tiempo pasado cualquier cosa podía pensarse menos que nos había de dar un nuevo hermano, quedó la vieja con el vientre lleno, vaya usted a saber de quién, porque sospecho que, ya por la época, liada había de andar con el señor Rafael, de forma que no hubo más que esperar los días de ley para acabar recibiendo a uno más en la familia. El nacer del pobre Mario —que así hubimos de llamar al nuevo hermano— más tuvo de accidentado y de molesto que de otra cosa, porque, para colmo y por si fuera poca la escandalera de mi madre al parir, fue todo a coincidir con la muerte de mi padre, que si no hubiera sido tan trágica, a buen seguro movería a risa así pensada en frío. Dos días hacía que a mi padre lo teníamos encerrado en la alacena cuando Mario vino al mundo; le había mordido un perro rabioso, y aunque al principio parecía que libraba de rabiar, más tarde hubieron de acometerle unos trembleques que nos pusieron a todos sobre aviso. La señora Engracia nos enteró de que la mirada iba a hacer abortar a mi madre y, como el pobre no tenía arreglo, nos industriamos para encerrarlo con la ayuda de algunos vecinos y de tantas precauciones como pudimos, porque tiraba unos mordiscos que a más de uno hubiera arrancado un brazo de habérselo cogido; todavía me acuerdo con pena y con temor de aquellas horas... ¡Dios, y qué fuerza hubimos de hacer todos para reducirlo! Pateaba como un león, juraba que nos había de matar a todos, y tal fuego había en su mirar, que por seguro lo tengo que lo hubiera hecho si Dios lo hubiera permitido. Dos días hacía, digo, que encerrado lo teníamos, y tales voces daba y tales patadas arreaba sobre la puerta, que hubimos de apuntalar con unos maderos, que no me extraña que Mario, animado también por los gritos de la madre, viniera al mundo asustado y como lelo; mi padre acabó por callarse a la noche siguiente —que era la del día de Reyes—, y cuando fuimos a sacarlo pensando que había muerto, allí nos lo encontramos, arrimado contra el suelo y con un miedo en la cara que mismo parecía haber entrado en los infiernos. A mí me asustó un tanto que mi madre en vez de llorar, como esperaba, se riese, y no tuve más remedio que ahogar las lágrimas que quisieron asomarme cuando vi el cadáver, que tenía los ojos abiertos y llenos de sangre y la boca entreabierta con la lengua morada medio fuera. Cuando tocó a enterrarlo, don Manuel, el cura, me echó un sermoncete en cuanto me vio. Yo no me acuerdo mucho de lo que me dijo; me habló de la otra vida, del cielo y del infierno, de la Virgen María, de la memoria de mi padre, y cuando a mí se me ocurrió decir que en lo tocante al recuerdo de mi padre lo mejor sería ni recordarlo, don Manuel, pasándome una mano por la cabeza me dijo que la muerte llevaba a los hombres de un reino para otro y que era muy celosa de que odiásemos lo que ella se había llevado para que Dios lo juzgase. Bueno, no me lo dijo así; me lo dijo con unas palabras muy justas y cabales, pero lo que me quiso decir no andaría, sobre poco más o menos, muy alejado de lo que dejo escrito. Desde aquel día siempre que veía a don Manuel lo saludaba y le besaba la mano, pero cuando me casé hubo de decirme mi mujer que parecía marica haciendo tales cosas y, claro es, ya no pude saludarlo más; después me enteré que don Manuel había dicho de mí que era talmente como una rosa en un estercolero y bien sabe Dios qué ganas me entraron de ahogarlo en aquel momento; después se me fue pasando y, como soy de natural violento, pero pronto, acabé por olvidarlo, porque además, y pensándolo bien, nunca estuve muy seguro de haber entendido a derechas; a lo mejor don Manuel no había dicho nada —a la gente no hay que creerla todo lo que cuenta— y aunque lo hubiera dicho... ¡Quién sabe lo que hubiera querido decir! ¡Quién sabe si no había querido decir lo que yo entendí!

Si Mario hubiera tenido sentido cuando dejó este valle de lágrimas, a buen seguro que no se hubiera marchado muy satisfecho de él. Poco vivió entre nosotros; parecía que hubiera olido el parentesco que le esperaba y hubiera preferido sacrificarlo a la compañía de los inocentes en el limbo. ¡Bien sabe Dios que acertó con el camino, y cuántos fueron los sufrimientos que se ahorró al ahorrarse años! Cuando nos abandonó no había cumplido todavía los diez años, que si pocos fueron para lo demasiado que había de sufrir, suficientes debieran de haber sido para llegar a hablar y a andar, cosas ambas que no llegó a conocer; el pobre no pasó de arrastrarse por el suelo como si fuese una culebra y de hacer unos ruiditos con la garganta y con la nariz como si fuese una rata: fue lo único que aprendió. En los primeros años de su vida ya a todos nosotros nos fue dado el conocer que el infeliz, que tonto había nacido, tonto había de morir; tardó año y medio en echar el primer hueso de la boca y cuando lo hizo, tan fuera de su sitio le fue a nacer, que la señora Engracia, que tantas veces fuera nuestra providencia, hubo de tirárselo con un cordel para ver de que no se clavara en la lengua. Hacia los mismos días, y vaya usted a saber si como resultas de la mucha sangre que tragó por lo del diente, le salió un sarampión o sarpullido por el trasero (con perdón) que llegó a ponerle las nalguitas como desolladas y en la carne viva por habérsele mezclado la orina con la pus de las bubas; cuando hubo que curarle lo dolido con vinagre y con sal, la criatura tales lloros se dejaba arrancar que hasta al más duro de corazón hubiera enternecido. Pasó algún tiempo que otro de cierto sosiego, jugando con una botella, que era lo que más le llamaba la atención, o echadito al sol, para que reviviese, en el corral o en la puerta de la calle, y así fue tirando el inocente, unas veces mejor y otras peor, pero ya más tranquilo, hasta que un día —teniendo la criatura cuatro años— la suerte se volvió tan de su contra que, sin haberlo buscado ni deseado, sin a nadie haber molestado y sin haber tentado a Dios, un guarro (con perdón) le comió las dos orejas. Don Raimundo, el boticario, le puso unos polvos amarillitos, de seroformo, y tanta dolor daba el verlo amarillado y sin orejas que todas las vecinas, por llevarle consuelo, le llevaban, las más un tejeringo los domingos; otras, unas almendras; otras, unas aceitunas en aceite o un poco de chorizo... ¡Pobre Mario, y cómo agradecía, con sus ojos negrillos, los consuelos! Si mal había estado hasta entonces, mucho más mal le aguardaba después de lo del guarro (con perdón); pasábase los días y las noches llorando y aullando como un abandonado, y como la poca paciencia de la madre la agotó cuando más falta le hacía, se pasaba los meses tirado por los suelos, comiendo lo que le echaban, y tan sucio que aun a mí que, ¿para qué mentir?, nunca me lavé demasiado, llegaba a darme repugnancia. Cuando un guarro (con perdón) se le ponía a la vista, cosa que en la provincia pasaba tantas veces al día como no se quisiese, le entraban al hermano unos corajes que se ponía como loco: gritaba con más fuerzas aún que la costumbre, se atosigaba por esconderse detrás de algo, y en la cara y en los ojos un temor se le acusaba que dudo que no lograse parar al mismo Lucifer que a la Tierra subiese.

Me acuerdo que un día —era un domingo— en una de esas temblequeras tanto espanto llevaba y tanta rabia dentro, que en su huida le dio por atacar —Dios sabría por qué— al señor Rafael que en casa estaba porque, desde la muerte de mi padre, por ella entraba y salía como por terreno conquistado; no se le ocurriera peor cosa al pobre que morderle en una pierna al viejo, y nunca lo hubiera hecho, porque éste con la otra pierna le arreó tal patada en una de las cicatrices que lo dejó como muerto y sin sentido, manándole una agüilla que me dio por pensar que agotara la sangre. El vejete se reía como si hubiera hecho una hazaña y tal odio le tomé desde aquel día que, por mi gloria le juro, que de no habérselo llevado Dios de mis alcances, me lo hubiera endiñado en cuanto hubiera tenido ocasión para ello.

La criatura se quedó tirada todo lo larga que era, y mi madre —le aseguro que me asusté en aquel momento que la vi tan ruin— no lo cogía y se reía haciéndole el coro al señor Rafael; a mí, bien lo sabe Dios, no me faltaron voluntades para levantarlo, pero preferí no hacerlo... ¡Si el señor Rafael, en el momento, me hubiera llamado blando, por Dios que lo machaco delante de mi madre!

Me marché hasta las casas por tratar de olvidar; en el camino me encontré a mi hermana —que por entonces andaba por el pueblo—, le conté lo que pasó y tal odio hube de ver en sus ojos que me dio por cavilar en que había de ser mal enemigo; me acordé, no sé por qué sería, del Estirao, y me reía de pensar que alguna vez mi hermana pudiera ponerle aquellos ojos.

Cuando volvimos hasta la casa, pasadas dos horas largas del suceso, el señor Rafael se despedía; Mario seguía tirado en el mismo sitio donde lo dejé, gimiendo por lo bajo, con la boca en la tierra y con la cicatriz más morada y miserable que cómico en cuaresma; mi hermana, que creí que iba a armar el zafarrancho, lo levantó del suelo por ponerlo recostado en la artesa. Aquel día me pareció más hermosa que nunca, con su traje de color azul como el del cielo, y sus aires de madre montaraz ella, que ni lo fuera, ni lo había de ser...

Cuando el señor Rafael acabó por marcharse, mi madre recogió a Mario, lo acunó en el regazo y le estuvo lamiendo la herida toda la noche, como una perra parida a los cachorros; el chiquillo se dejaba querer y sonreía... Se quedó dormidito y en sus labios quedaba aún la señal de que había sonreído. Fue aquella noche, seguramente, la única vez en su vida que le vi sonreír...

5

Pasó después algún tiempo sin que se desgraciara de nuevo, pero, como al que el destino persigue no se libra aunque se esconda debajo de las piedras, día llegó en que, no encontrándolo por lado alguno, fue a aparecer, ahogado, en una tinaja de aceite. Lo encontró mi hermana Rosario. Estaba en la misma postura que una lechuza ladrona a quien hubiera cogido un viento; volcado sobre el borde de la tinaja, con la nariz apoyada sobre el barro del fondo. Cuando lo levantamos, un hilillo de aceite le caía de la boca como una hebra de oro que estuviera devanando con el vientre; el pelo que en vida lo tuviera siempre de la apagada color de la ceniza, le brillaba con unos brillos tan lozanos que daba por pensar que hubiera resucitado al él morir. Tal es todo lo extraño que la muerte de Mario me recuerda...

Mi madre tampoco lloró la muerte de su hijo: secas debiera tener las entrañas una mujer con corazón tan duro que unas lágrimas no le quedaran siquiera para señalar la desgracia de la criatura... De mí puedo decir, y no me avergüenzo de ello, que sí lloré, así como mi hermana Rosario, y que tal odio llegué a cobrar a mi madre, y tan deprisa había de crecerme, que llegué a tener miedo de mí mismo. ¡La mujer que no llora es como la fuente que no mana, que para nada sirve, o como el ave del cielo que no canta, a quien, si Dios quisiera, le caerían las alas, porque a las alimañas falta alguna les hacen!

Mucho me dio que pensar, en muchas veces, y aún ahora mismo si he de decir la verdad, el motivo de que a mi madre llegase a perderle la respeto, primero, y el cariño y las formas al andar de los años; mucho me dio que pensar, porque quería hacer un claro en la memoria que me dejase ver hacia qué tiempo dejó de ser una madre en mi corazón y hacia qué tiempo llegó después a convertírseme en un enemigo. En un enemigo rabioso, que no hay peor odio que el de la misma sangre; en un enemigo que me gastó toda la bilis, porque a nada se odia con más intensos bríos que a aquello a que uno se parece y uno llega a aborrecer el parecido. Después de mucho pensar, y de nada esclarecer del todo, sólo me es dado el afirmar que la respeto habíasela ya perdido tiempo atrás, cuando en ella no encontraba virtud alguna que imitar, ni don de Dios que copiar, y que de mi corazón hubo de marcharse cuando tanto mal vi en ella que junto no cupiera dentro de mi pecho. Odiarla, lo que se dice llegar a odiarla, tardé algún tiempo —que ni el amor ni el odio fueran cosa de un día— y si apuntara hacia los días de la muerte de Mario pudiera ser que no errara en muchas fechas sobre su aparición.

A la criatura hubimos de secarle las carnes con unas hilas de lino por evitar que fuera demasiado grasiento al Juicio, y de prepararlo bien vestido con unos percales que por la casa había, con unas alpargatas que me acerqué hasta el pueblo para buscar, con su corbatita de la color de la malva hecha una lazada sobre la garganta como una mariposa que en su inocencia le diera por posarse sobre un muerto. El señor Rafael, que hubo de sentirse caritativo con el muerto a quien de vivo tratara tan sin piedad, nos ayudó a preparar el ataúd; el hombre iba y venía de un lado para otro diligente y ufano como una novia, ora con unos clavos, ora con alguna tabla, tal vez con el bote del albayalde, y en su diligencia y ufanía hube de centrar todo mi discurrir, porque, sin saber ni entonces ni ahora por qué ni por qué no, me daba la corazonada de que por dentro se estaba bañando en agua de rosas. Cuando decía, con un gesto como distraído:

—¡Dios lo ha querido! ¡Angelitos al cielo...! —me dejaba tan pensativo que ahora me cuesta un trabajo desusado el reconstruir lo que por mí pasó. Después repetía como un estribillo, mientras clavaba las tablas o mientras daba la pintura:

—¡Angelitos al cielo! ¡Angelitos al cielo...! —y sus palabras me golpeaban el corazón como si tuviera un reló dentro... Un reló que acabase por romperme los pechos... Un reló que obedecía a sus palabras, soltadas poco a poco y como con cuidado, y a sus ojillos húmedos y azules como los de las víboras, que me miraban con todo el intento de simpatizar, cuando el odio más ahogado era lo único que por mi sangre corría para él. Me acuerdo con disgusto de aquellas horas:

—¡Angelitos al cielo! ¡Angelitos al cielo!

¡El hijo de su madre, y cómo fingía el muy zorro! Hablemos de otra cosa.

Yo no supe nunca, la verdad, porque tampoco nunca me diera por pensar en ello en serio, en cómo serían los ángeles; tiempo hubo en que me los imaginaba rubios y vestidos con unas largas faldas azules o rosa; tiempo hubo también en que los creía de la color de las nubes y tan delgados como ni siquiera fueran los tallos de los trigos. Sin embargo, lo que sí puedo afirmar es que siempre me los figuré muy distintos de mi hermano Mario, motivo que a buen seguro fue lo que ocasionó que pensara que detrás de las palabras del señor Rafael había gato escondido y una intención tan maligna y tan de segundo rebote como de su mucha ruindad podía esperarse.

Su entierro, como años atrás el de mi padre, fue pobre y aburrido, y detrás de la caja no se hubieron de juntar, sin exageración, más arriba de cinco o seis personas: don Manuel, Santiago el monaguillo, Lola, tres o cuatro viejas y yo. Delante iba Santiago, con la cruz, silbandillo y dando patadas a los guijarros; detrás, la caja; detrás, don Manuel con su vestidura blanca sobre la sotana, que parecía como un peinador, y detrás las viejas con sus lloros y sus lamentos, que mismo parecía a quienes las viese que todas juntas eran las madres de lo que iba encerrado camino de la tierra.

Lola era ya por entonces medio novia mía, y digo medio novia nada más porque, en realidad, aunque nos mirábamos

con alguna inclinación, yo nunca me había atrevido a decirle
ni una palabra de amores; me daba cierto miedo que me des-
preciase, y si bien ella se me ponía a tiro las más de las veces
porque yo me decidiese, siempre podía más en mí la timidez
que me hacía dar largas y más largas al asunto, que iba prolon-
gándose ya más de lo debido. Yo debía de andar por los veintiocho o treinta años, y ella, que era algo más joven que mi
hermana Rosario, por los veintiuno o veintidós; era alta, morena de color, negra de pelo, y tenía unos ojos tan profundos y
tan negros que herían al mirar; tenía las carnes prietas y como
endurecidas de saludable como estaba, y por el mucho desarrollo que mostraba cualquiera daría en pensar que se encontraba delante de una madre. Sin embargo, y antes de pasar
adelante y arriesgarme a echarlo en el olvido, quiero decirle a
usted, para atenerme en todo a la verdad, que por aquellas fechas tan entera estaba como al nacer y tan desconocedora de
varón como una novicia; es esto una cosa sobre la que quiero
hacer hincapié para evitar que puedan formarse torcidas ideas
sobre ella; lo que hiciera más tarde —sólo Dios lo sabe hasta
el final— allá ella con su conciencia, pero de lo que hiciera
por aquel tiempo tan seguro estoy que alejada de toda idea de
lujuria andaba que no dudaría ni un solo instante en dar mi
alma al diablo si me demostrase lo contrario. Andaba con mucho poder y seguridad y con tanto desparpajo y arrogancia que
cualquiera cosa pudiera parecer menos una pobre campesina,
y su mata de pelo, cogida en una gruesa trenza bajo la cabeza,
tal sensación daba de poderío que, al pasar de los meses y
cuando llegué a mandar en ella como marido, gustaba de azo-
tarme con ella por las mejillas, tal era su suavidad y su aroma:
como a sol, y a tomillo, y a las frías gotitas de sudor que por el
bozo le aparecían al sofocarse...

El entierro, volviendo a lo que íbamos, salió con facilidad;
como la fosa ya estaba hecha, no hubo sino que meter a mi
hermano dentro de ella y acabar de taparlo con tierra. Don Manuel rezó unos latines y las mujeres se arrodillaron; a Lola, al
arrodillarse, se le veían las piernas, blancas y apretadas como

morcillas, sobre la media negra. Me avergüenzo de lo que voy a decir, pero que Dios lo aplique a la salvación de mi alma por el mucho trabajo que me cuesta: en aquel momento me alegré de la muerte de mi hermano... Las piernas de Lola brillaban como la plata, la sangre me golpeaba por la frente y el corazón parecía como querer salírseme del pecho.

No vi marcharse ni a don Manuel ni a las mujeres. Estaba como atontado, cuando empecé a volver a percatarme de la vida, sentado en la tierra recién removida sobre el cadáver de Mario; por qué me quedé allí y el tiempo que pasó, son dos cosas que no averigüé jamás. Me acuerdo que la sangre seguía golpeándome las sienes, que el corazón seguía queriéndose echar a volar. El sol estaba cayendo; sus últimos rayos se iban a clavar sobre el triste ciprés, mi única compañía. Hacía calor; unos tiemblos me recorrieron todo el cuerpo; no podía moverme, estaba clavado como por el mirar del lobo.

De pie, a mi lado, estaba Lola, sus pechos subían y bajaban al respirar..

—¿Y tú?

—¡Ya ves!

—¿Qué haces aquí?

—¡Pues..., nada! Por aquí...

Me levanté y la sujeté por un brazo.

—¿Qué haces aquí?

—¡Pues nada! ¿No lo ves? ¡Nada!

Lola me miraba con un mirar que espantaba. Su voz era como una voz del más allá, grave y subterránea como la de un aparecido.

—¡Eres como tu hermano!

—¿Yo?

—¡Tú! ¡Sí!

....

Fue una lucha feroz. Derribada en tierra, sujeta, estaba más hermosa que nunca... Sus pechos subían y bajaban al respirar cada vez más de prisa. Yo la agarré del pelo y la tenía bien sujeta a la tierra. Ella forcejeaba, se escurría...

La mordí hasta la sangre, hasta que estuvo rendida y dócil como una yegua joven.

....

—¿Es eso lo que quieres?

—¡Sí!

Lola me sonreía con su dentadura toda igual... Después me alisaba el cabello.

—¡No eres como tu hermano...! ¡Eres un hombre...!

En sus labios quedaban las palabras un poco retumbantes.

—¡Eres un hombre...! ¡Eres un hombre...!

La tierra estaba blanda, bien me acuerdo. Y en la tierra, media docena de amapolas para mi hermano muerto: seis gotas de sangre...

—¡No eres como tu hermano...! ¡Eres un hombre...!

—¿Me quieres?

—¡Sí!

6

Quince días ha querido la Providencia que pasaran desde que dejé escrito lo que atrás queda, y en ellos, entretenido como estuve con interrogatorios y visitas del defensor por un lado, y con el traslado hasta este nuevo sitio, por otro, no tuve ni un instante libre para coger la pluma. Ahora, después de releer este fajo, todavía no muy grande, de cuartillas, se mezclan en mi cabeza las ideas más diferentes con tal precipitación y tal mareo que, por más que pienso, no consigo acertar a qué carta quedarme. Mucha desgracia, como usted habrá podido ver, es la que llevo contada, y pienso que las fuerzas han de decaerme cuando me enfrente con lo que aún me queda, que más desgraciado es todavía; me espanta pensar con qué puntualidad me es fiel la memoria, en estos momentos en que todos los hechos de mi vida —sobre los que no hay maldita la forma de volverme atrás— van quedando escritos en estos papeles con la misma claridad que en un encerado; es gracioso —y triste también, ¡bien lo sabe Dios!— pararse a considerar que si el esfuerzo de memoria que por estos días estoy haciendo se me hubiera ocurrido años atrás, a estas horas, en lugar de estar escribiendo en una celda, estaría tomando el sol en el corral, o pescando anguilas en el regato, o persiguiendo conejos por el monte. Estaría haciendo otra cosa cualquiera de esas que hacen —sin fijarse— la mayor parte de los hombres; estaría libre, como libres están —sin fijarse tampoco— la mayor parte de los hombres; tendría por delante Dios sabe cuántos años de vida, como tienen —sin darse cuenta de que pueden gastarlos lentamente— la mayor parte de los hombres...

El sitio donde me trajeron es mejor; por la ventana se ve un jardincillo, cuidadoso y lamido como una salita, y más allá del jardincillo, hasta la serranía, se extiende la llanada, castaña como la piel de los hombres, por donde pasan —a veces— las reatas de mulas que van a Portugal, los asnillos troteros que van hasta las chozas, las mujeres y los niños que van sólo hasta el pozo.

Yo respiro mi aire, que entra y sale de la celda porque con él no va nada, ese mismo aire que a lo mejor respira mañana o cualquier día el mulero que pasa... Yo veo la mariposa toda de colores que revolea torpe sobre los girasoles, que entra por la celda, da dos vueltas y sale, porque con ella no va nada, y que acabará posándose tal vez sobre la almohada del director... Yo cojo con la gorra el ratón que comía lo que yo ya dejara, lo miro, lo dejo —porque con él no va nada— y veo cómo escapa con su pasito suave a guarecerse en su agujero, ese agujero desde el que sale para comer el rancho del forastero, del que está tan sólo una temporada en la celda de la que ha de salir para el infierno las más de las veces...

Tal vez no me creyera si le dijera que en estos momentos tal tristeza me puebla y tal congoja, que por asegurarle estoy que mi arrepentimiento no menor debe ser que el de un santo; tal vez no me creyera, porque demasiado malos han de ser los informes que de mí conozca y el juicio que de mí se haya formado a estas alturas, pero sin embargo... Yo se lo digo, quizás nada más que por eso de decírselo, quizás nada más que por eso de no quitarme la idea de las mientes de que usted sabrá comprender lo que le digo, y creer lo que por mi gloria no le juro porque poco ha de valer jurar ya sobre ella... El amargor que me sube a la garganta es talmente como si el corazón me fabricara acíbar en vez de sangre; me sube y me baja por el pecho, dejándome un regusto ácido en el paladar; mojándome la lengua con su aroma, secándome los dentros con su aire pesaroso y maligno como el aire de un nicho.

He parado algún tiempo de escribir; quizás hayan sido veinte minutos, quizás una hora, quizás dos... Por el sendero —¡qué bien se veían desde mi ventana!— cruzaban unas personas. Probablemente ni pensaban en que yo les miraba, de naturales como iban. Eran dos hombres, una mujer y un niño; parecían contentos andando por el sendero. Los hombres tendrían treinta años cada uno; la mujer algo menos; el niño no pasaría de los seis. Iba descalzo, triscando como las cabras alrededor de las matas, vestido con una camisolina que le dejaba el vientre al aire. Trotaba unos pasitos adelante, se paraba, tiraba alguna piedra al pájaro que pasaba... No se parecía en nada, y sin embargo, ¡cómo me recordaba a mi hermano Mario!

La mujer debía ser la madre, tenía la color morena, como todas, y una alegría en todo el cuerpo que mismo uno se sentía feliz al mirar para ella. Bien distinta era de mi madre y sin embargo, ¿por qué sería que tanto me la recordaba?

Usted me perdonará, pero no puedo seguir. Muy poco me falta para llorar... Usted sabe, tan bien como yo, que un hombre que se precie no debe dejarse acometer por los lloros como una mujer cualquiera.

Voy a continuar con mi relato; triste es, bien lo sé, pero más triste todavía me parecen estas filosofías, para las que no está hecho mi corazón: esa máquina que fabrica la sangre que alguna puñalada ha de verter...

7

Mis relaciones con Lola siguieron por los derroteros que a usted no se le ocultarán, y al andar de los tiempos y aún no muy pasados los cinco meses del entierro del hermano muerto me vi sorprendido —ya ve lo que son las cosas— con la noticia que menos debiera haberme sorprendido.

Fue el día de San Carlos, en el mes de noviembre. Yo había ido a casa de Lola, como todos los días desde meses atrás; su madre, como siempre, se levantó y se marchó. A mi novia la encontré un poco pálida y como rara, después me di cuenta; parecía como si hubiera llorado, como si la agobiase una pena profunda. La conversación —que nunca entre los dos había sido demasiado corrida— se espantaba aquel día a nuestra voz, como los grillos a las pisadas, o como las perdices al canto del caminante; cada intento que hacía para hablar tropezaba al salirme en la garganta, que se quedaba tan seca como un muro.

—Pues no hables si no quieres.

—¡Sí, quiero!

—Pues habla. ¿Yo te lo impido?

—¡Pascual!

—¡Qué!

—¿Sabes una cosa?

—No.

—¿Y no te la figuras?

—No.

Ahora me da risa de pensar que tardara tanto tiempo en caer.

—¡Pascual!

—¡Qué!

—¡Estoy preñada!

Al principio no me enteré. Me quedé como aplastado, tan ajeno estaba a la novedad; jamás había pensado que aquello que me decían, que aquello que era tan natural, pudiera suceder. No sé en qué estaría pensando.

La sangre me calentaba las orejas, que se me pusieron rojas como brasas; los ojos me escocían como si tuvieran jabón...

Quizás llegaran a pasar lo menos diez minutos de un silencio de muerte. El corazón se me notaba por las sienes, con sus golpes cortados como los de un reló; tardé algún tiempo en notarlo.

La respiración de Lola parecía como que pasara por una flauta.

—¿Que estás preñada?

—¡Sí!

Lola se echó a llorar. A mí no se me ocurría nada para consolarla.

—No seas tonta. Unos se mueren..., otros nacen...

Quizás quiera Dios librarme de alguna pena en los infiernos por lo tierno que aquella tarde me sentí.

—¿Pues qué tiene de particular? También tu madre lo estuvo antes de parirte..., y la mía también...

Hacía unos esfuerzos inauditos por decir algo. Había notado un cambio en Lola; parecía como que la hubieran vuelto del revés.

—Es lo que pasa siempre, ya se sabe. ¡No tienes por qué apurarte!

Yo miraba para el vientre de Lola; no se le notaba nada. Estaba hermosa como pocas veces, con la color perdida y la madeja de pelo revuelta.

Me acerqué hasta ella y la besé en la mejilla; estaba fría como una muerta. Lola se dejaba besar con una sonrisa en la boca que mismo parecía la sonrisa de una mártir de los tiempos antiguos.

—¿Estás contenta?

—¡Sí! ¡Muy contenta!

Lola me habló sin sonreír.

—¿Me quieres..., así?

—Sí, Lola..., así.

Era verdad. En aquellos momentos era así como la quería: joven y con un hijo en el vientre; con un hijo mío, a quien —por entonces— me hacía la ilusión de educar y de hacer de él un hombre de provecho.

—Nos vamos a casar, Lola; hay que arreglar los papeles. Esto no puede quedar así....

—No.

La voz de Lola parecía como un suspiro.

—Y le quiero demostrar a tu madre que sé cumplir como un hombre.

—Ya lo sabe...

—¡No lo sabe!

Cuando se me ocurrió marcharme era ya noche cerrada.

—Llama a tu madre.

—¿A mi madre?

—Sí.

—¿Para qué?

—Para decírselo.

—Ya lo sabe.

—Lo sabrá... ¡Pero quiero decírselo yo!

Lola se puso de pie —¡qué alta era!— y salió. Al pasar el quicio de la cocina me gustó más que nunca.

La madre entró al poco rato:

—¿Qué quieres?

—Ya lo ve usted.

—¿Has visto cómo la has dejado?

—Bien la dejé.

—¿Bien?

—Sí. ¡Bien! ¿O es que no tiene edad?

La madre callaba; yo nunca creí verla tan mansa.

—Quería hablarla a usted.

—¿De qué?

—De su hija. Me voy a casar con ella.

—Es lo menos. ¿Estás decidido del todo?

—Sí que lo estoy.

—¿Y lo has pensado bien?

—Sí; muy bien.

—¿En tan poco tiempo?

—Tiempo hubo sobrado.

—Pues espera; la voy a llamar.

La vieja salió y tardó mucho tiempo en venir; estarían for-
cejeando. Cuando volvió traía a Lola de la mano.

—Mira; que se quiere casar. ¿Te quieres casar tú?

—Sí.

—Bueno, bueno... Pascual es un buen muchacho, ya sabía
yo lo que había de hacer... Andar, ¡daros un beso!

—Ya nos lo hemos dado.

—Pues daros otro. Andar, que yo os vea.

Me acerqué a la muchacha y la besé; la besé intensamente,
con todas mis fuerzas, muy apretada contra mis hombros, sin
importarme para nada la presencia de la madre. Sin embargo,
aquel primer beso con permiso me supo a poco, a mucho menos que aquellos primeros del cementerio que tan lejanos parecían.

—¿Me puedo quedar?

—Sí, quédate.

—No, Pascual, no te quedes; todavía no te quedes.

—Sí, hija, sí, que se quede. ¿No va a ser tu marido?

Me quedé y pasé la noche con ella.

Al día siguiente, muy de mañana, me acerqué hasta la parroquial; entré en la sacristía. Allí estaba don Manuel preparán-
dose para decir la misa, esa misa que decía para don Jesús,
para el ama y para dos o tres viejas más. Al verme llegar se
quedó como sorprendido.

—¿Y tú por aquí?

—Pues ya ve usted, don Manuel, a hablar con usted venía.

—¿Muy largo?

—Sí, señor.

—¿Puedes esperar a que diga la misa?

—Sí, señor. Prisa no tengo.

—Pues espérame, entonces.

Don Manuel abrió la puerta de la sacristía y me señaló un banco de la iglesia, un banco como el de todas las iglesias, de madera sin pintar, duro y frío como la piedra, pero en los que tan hermosos ratos se pasan algunas veces.

—Siéntate allí. Cuando veas que don Jesús se arrodilla, te arrodillas tú; cuando veas que don Jesús se levanta, te levantas tú; cuando veas que don Jesús se sienta, te sientas tú también...

—Sí, señor.

La misa duró, como todas, sobre la media hora, pero aquella media hora se me pasó en un vuelo.

Cuando acabó, me volví a la sacristía. Allí estaba don Manuel desvistiéndose.

—Tú dirás.

—Pues ya ve usted... Me querría casar.

—Me parece muy bien, hijo, me parece muy bien; para eso ha creado Dios a los hombres y a las mujeres, para la perpetuación de la especie humana.

—Sí, señor.

—Bien, bien. ¿Y con quién? ¿Con la Lola?

—Sí, señor.

—¿Y lo llevas pensando mucho tiempo?

—No, señor; ayer...

—¿Ayer, nada más?

—Nada más. Ayer me dijo ella lo que había.

—¿Había algo?

—Sí.

—¿Embarazada?

—Sí, señor. Embarazada.

—Pues sí, hijo; lo mejor es que os caséis. Dios os lo perdonará todo y, ante la vista de los hombres, incluso, ganáis en consideración. Un hijo habido fuera del matrimonio es un pecado y un baldón. Un hijo nacido de padres cristianamente casados es una bendición de Dios. Yo te arreglaré los papeles. ¿Sois primos?

—No, señor.

—Mejor. Vuelve dentro de quince días por aquí; yo te lo tendré ya todo preparado.

—Sí, señor.

—¿Adónde vas ahora?

—Pues ya ve usted. ¡A trabajar!

—¿Y no te querrías confesar antes?

—Sí...

Me confesé, y me quedé suave y aplanado como si me hubieran dado un baño de agua caliente.

8

Al cabo de poco más de un mes, el 12 de diciembre, día de la Virgen de Guadalupe, que aquel año cuadró en miércoles, y después de haber cumplido con todos los requisitos de la ley de la Iglesia, Lola y yo nos casamos.

Yo andaba preocupado y como pensativo, como temoroso del paso que iba a dar —¡casarse es una cosa muy seria, qué caramba!— y momentos de flaqueza y desfallecimiento tuve, en los que le aseguro que no me faltó nada para volverme atrás y mandarlo todo a tomar vientos, cosa que si no llegué a hacer fue por pensar que como la campanada iba a ser muy gorda y, en realidad, no me había de quitar más miedo, lo mejor sería estarme quieto y dejar que los acontecimientos salieran por donde quisieran: los corderos quizás piensen lo mismo al verse llevados al degolladero... De mí puedo decir que lo que se avecinaba momento hubo en que pensé que me había de hacer loquear. No sé si sería el olfato que me avisaba de la desgracia que me esperaba. Lo peor es que ese mismo olfato no me aseguraba mayor dicha si es que quedaba soltero.

Como en la boda me gasté los ahorrillos que tenía —que una cosa fuera casarse a contrapelo de la voluntad y otra el tratar de quedar como me correspondía—, nos resultó, si no lucida, sí al menos tan rumbosa, en lo que cabe, como la de cualquiera. En la iglesia mandé colocar unas amapolas y unas matas de romero florecido, y el aspecto de ella era agradable y acogedor quizás por eso de no sentir tan frío al pino de los bancos y a las losas del suelo. Ella iba de negro, con un bien ajustado traje de lino del mejor, con un velo todo de encaje que le regaló la madrina, con unas varas de azahar en la mano y tan gallarda y tan poseída de su papel, que mismamente parecía una reina; yo iba con un vistoso traje azul con raya roja que me llegué hasta Badajoz para comprar, con una visera de raso negro que aquel día estrené, con pañuelo de seda y con leontina. ¡Hacíamos una hermosa pareja, se lo aseguro, con nuestra juventud y nuestro empaque! ¡Ay, tiempos aquellos en que aún quedaban instantes en que uno parecía como sospechar la felicidad, y qué lejanos me parecéis ahora!

Nos apadrinaron el señorito Sebastián, el de don Raimundo el boticario, y la señora Aurora, la hermana de don Manuel, el cura que nos echó la bendición y un sermoncete al acabar, que duró así como tres veces la ceremonia, y que si aguanté no por otra cosa fuera —¡bien lo sabe Dios!— que por creerlo de obligación; tan aburrido me llegó a tener. Nos habló otra vez de la perpetuación de la especie, nos habló también del Papa León XIII, nos dijo no sé qué de San Pablo y los esclavos... ¡A fe que el hombre se traía bien preparado el discurso!

Cuando acabó la función de iglesia —cosa que nunca creí que llegara a suceder— nos llegamos todos, y como en comisión, hasta mi casa, donde, sin grandes comodidades, pero con la mejor voluntad del mundo, habíamos preparado de comer y de beber hasta hartarse para todos los que fueron y para el doble que hubieran ido. Para las mujeres había chocolate con tejeringos, y tortas de almendra, y bizcochada, y pan de higo, y para los hombres había manzanilla y tapitas de chorizo, de morcón, de aceitunas, de sardinas en lata... Sé que hubo en el pueblo quien me criticó por no haber dado de comer; allá ellos. Lo que sí le puedo asegurar es que no más duros me hubiera costado el darles gusto, lo que, sin embargo, preferí no hacer, porque me resultaba demasiado atado para las ganas que tenía de irme con mi mujer. La conciencia tranquila la tengo de haber cumplido —y bien— y eso me basta; en cuanto a las murmuraciones... ¡más vale ni hacerles caso!

Después de haber hecho el honor a los huéspedes, y en cuanto que tuve ocasión para ello, cogí a mi mujer, la senté a la grupa de la yegua, que enjaecé con los arreos del señor Vicente, que para eso me los había prestado, y pasito a pasito, y como temeroso de verla darse contra el suelo, cogí la carretera y me acerqué hasta Mérida, donde hubimos de pasar tres días, quizás los tres días más felices de mi vida. Por el camino hicimos alto tal vez hasta media docena de veces, por ver de refrescarnos un poco, y ahora me acuerdo con extrañeza y mucho me da que vacilar el pararme a pensar en aquel rapto que nos diera a los dos de liarnos a cosechar margaritas para ponérnoslas, uno al otro, en la cabeza. A los recién casados parece como si les volviera de repente todo el candor de la infancia.

Cuando entrábamos, con un trotillo acompasado y regular, en la ciudad, por el puente romano, tuvimos la negra sombra de que a la yegua le diera por espantarse —quién sabe si a la vista del río— y a una pobre vieja que por allí pasaba tal manotada le dio que la dejó medio descalabrada y en un tris de irse al Guadiana de cabeza. Yo descabalgué rápido por socorrerla, que no fuera de bien nacidos pasar de largo, pero como la vieja me dio la sensación de que lo único que tenía era mucho resabio, la di un real —porque no dijese— y dos palmaditas en los hombros y me marché a reunirme con la Lola. Ésta se reía y su risa, créame usted, me hizo mucho daño; no sé si sería un presentimiento, algo así como una corazonada de lo que habría de ocurrirle. No está bien reírse de la desgracia del prójimo, se lo dice un hombre que fue muy desgraciado a lo largo de su vida; Dios castiga sin palo y sin piedra y, ya se sabe, quien a hierro mata... Por otra parte, y aunque no fuera por eso, nunca está de más el ser humanitario.

Nos alojamos en la posada del Mirlo, en un cuarto grande que había al entrar, a la derecha, y los dos primeros días, amartelados como andábamos, no hubimos de pisar la calle ni una sola vez. En el cuarto se estaba bien; era amplio, de techos altos, sostenidos por sólidas traviesas de castaño, de limpio pavimento de baldosa, y con un mobiliario cómodo y numeroso que daba verdadero gusto usar. El recuerdo de aquella alcoba me acompañó a lo largo de toda mi vida como un amigo fiel; la cama era la cama más señora que pude ver en mis días, con su cabecera toda de nogal labrado, con sus cuatro colchones de lana lavada... ¡Qué bien se descansaba en ella! ¡Parecía mismamente la cama de un rey! Había también una cómoda, alta y ventruda como una matrona, con sus cuatro hondos cajones con tiradores dorados, y un armario que llegaba hasta el techo, con una amplia luna de espejo del mejor, con dos esbeltos candelabros —de la misma madera— uno a cada lado para alumbrar bien la figura. Hasta el aguamanil —que siempre suele ser lo peor— era vistoso en aquella habitación; sus curvadas y livianas patas de bambú y su aljofaina de loza blanca, que tenía unos pajarillos pintados en el borde, le daban una gracia que lo hacía simpático. En las paredes había un cromo, grande y en cuatro colores, sobre la cama, representando un Cristo en el martirio; una pandereta con un dibujo en colores de la Giralda de Sevilla, con su madroñera encarnada y amarilla; dos pares de castañuelas a ambos lados, y una pintura del Circo Romano, que yo reputé siempre como de mucho mérito, dado el gran parecido que le encontraba. Había también un reló sobre la cómoda, con una pequeña esfera figurando la bola del mundo y sostenida con los hombros por un hombre desnudo, y dos jarrones de Talavera, con sus dibujos en azul, algo viejos ya, pero conservando todavía ese brillar que tan agradables los hace. Las sillas, que eran seis, dos de ellas con brazos, eran altas de respaldo con un mullido peluche colorado por culera (con perdón), recias de patas y tan cómodas que mucho hube de echarlas de menos al volver para la casa, y no digamos ahora al estar aquí metido. ¡Aún me acuerdo de ellas, a pesar de los años pasados!

Mi mujer y yo nos pasábamos las horas disfrutando de la comodidad que se nos brindaba y, como ya le dije, en un principio, para nada salíamos a la calle. ¿Qué nos interesaba a nosotros lo que en ella ocurría si allí dentro teníamos lo que en todo el resto de la ciudad no nos podían ofrecer?

Mala cosa es la desgracia, créame. La felicidad de aquellos dos días llegaba ya a extrañarme por lo completa que parecía.

Al tercer día, el sábado, se conoce que señalados por los familiares de la atropellada, nos fuimos a encontrar de manos a bruces con la pareja. Una turbamulta de chiquillos se agolpó a la puerta al saber que por allí andaba la guardia civil, y nos dio una cencerrada que hubimos de tener un mes entero clavada en los oídos. ¿Qué maligna crueldad despertará en los niños el olor de los presos?; nos miran como bichos raros con los ojos todos encendidos, con una sonrisilla viciosa por la boca, como miran a la oveja que apuñalan en el matadero —esa oveja en cuya sangre caliente mojan las alpargatas—, o al perro que dejó quebrado el carro que pasó —ese perro que tocan con la varita por ver si está vivo todavía—, o a los cinco gatitos recién nacidos que se ahogan en el pilón, esos cinco gatitos a los que apedrean, esos cinco gatitos a los que sacan de vez en cuando por jugar, por prolongarles un poco la vida —¡tan mal los quieren!—, por evitar que dejen de sufrir demasiado pronto... En un principio me atosigó bastante la llegada de los civiles, y aunque hacía esfuerzos por aparentar serenidad, mucho me temo que mi turbación no permitiera mostrarla. Con la guardia civil venía un mozo de unos veinticinco años, nieto de la vieja, espigado y presumido como a esa edad corresponde, y esa fue mi providencia, porque como con los hombres, ya lo sabe usted, no hay mejor cosa que usar de la palabra y hacer sonar la bolsa, en cuanto le llamé galán y le metí seis pesetas en la mano se marchó más veloz que una centella y más alegre que unas castañuelas, y pidiéndole a Dios —por seguro lo tengo— ver en su vida muchas veces a la abuela entre las patas de los caballos. La guardia civil, quién sabe si por eso de que la parte ofendida tan presto entrara en razón, se atusó los mostachos, carraspeó, me habló del peligro de la espuela pronta pero, lo que es más principal, se marchó sin incordiarme más.

Lola estaba como transida por el temor que le produjera la visita, pero como en realidad no era mujer cobarde, aunque sí asustadiza, se repuso del sofocón no más pasados los primeros momentos, la volvió la color a las mejillas, el brillo a la mirada y la sonrisa a los labios, para quedar en seguida tan guapota y bien plantada como siempre.

En aquel momento —bien me acuerdo— fue cuando la noté por vez primera algo raro en el vientre y un tósigo de verla así me entró en el corazón, que vino —en el mismo medio del apuro— a tranquilizar mi conciencia, que preocupadillo me tenía ya por entonces con eso de no sentirla latir ante la idea del primer hijo. Era muy poco lo que se la notaba, y bien posible hubiera sido que, de no saberlo, jamás me hubiera percatado de ello.

Compramos en Mérida algunas chucherías para la casa, pero como el dinero que llevábamos no era mucho, y además había sido mermado con las seis pesetas que le di al nieto de la atropellada, decidí retornar al pueblo por no parecerme cosa de hombres prudentes el agotar el monedero hasta el último ochavo. Volví a ensillar la yegua, a enjaezarla con la sobremontura y las riendas de feria del señor Vicente y a enrollarme la manta en el arzón, para con ella —y con mi mujer a la grupa como a la ida— volverme para Torremejía. Como mi casa estaba, como usted sabe, en el camino de Almendralejo, y como nosotros de donde veníamos era de Mérida, hubimos de cruzar, para arrimarnos a ella, la línea entera de casas, de forma que todos los vecinos, por ser ya la caída de la tarde, pudieron vernos llegar —tan marciales— y mostrarnos su cariño, que por entonces lo había, con el buen recibir que nos hicieron. Yo me apeé, volteándome por la cabeza para no herir a Lola de una patada, requerido por mis compañeros de soltería y de labranza, y con ellos me fui, casi llevado en volandas, hasta la taberna de Martinete el Gallo, adonde entramos en avalancha y cantando, y en donde el dueño me dio un abrazo contra su vientre, que a poco me marea entre las fuerzas que hizo y el olor a vino blanco que despedía. A Lola la besé en la mejilla y la mandé para casa a saludar a las amigas y a esperarme, y allá se marchó, jineta sobre la hermosa yegua, espigada y orgullosa como una infanta, y bien ajena a que el animal había de ser la causa del primer disgusto.

En la taberna, como había una guitarra, mucho vino y suficiente buen humor, estábamos todos como radiantes y alborozados, dedicados a lo nuestro y tan ajenos al mundo que, entre el cantar y el beber, se nos iban pasando los tiempos como sin sentirlos. Zacarías, el del señor Julián, se arrancó por seguidillas. ¡Daba gusto oírlo con su voz tan suave como la de un jilguero! Cuando él cantaba, los demás —mientras anduvimos serenos— nos callábamos a escuchar como embobados, pero cuando tuvimos más arranque, por el vino y la conversación, nos liamos a cantar en rueda y, aunque nuestras voces no eran demasiado templadas, como llegaron a decirse cosas divertidas, todo se nos era perdonado.

Es una pena que las alegrías de los hombres nunca se sepa dónde nos han de llevar, porque de saberlo no hay duda que algún disgusto que otro nos habríamos de ahorrar; lo digo porque la velada en casa del Gallo acabó como el rosario de la aurora por eso de no sabernos ninguno parar a tiempo. La cosa fue bien sencilla, tan sencilla como siempre resultan ser las cosas que más vienen a complicarnos la vida.

El pez muere por la boca, dicen, y dicen también que quien mucho habla mucho yerra, y que en boca cerrada no entran moscas, y a fe que algo de cierto para mí tengo que debe de haber en todo ello, porque si Zacarías se hubiera estado callado como Dios manda y no se hubiese metido en camisas de once varas, entonces se hubiera ahorrado un disgustillo y ahora el servir para anunciar la lluvia a los vecinos con sus tres cicatrices. El vino no es buen consejero.

Zacarías, en medio de la juerga, y por hacerse el chistoso, nos contó no sé qué sucedido, o discurrido, de un palomo ladrón, que yo me atrevería a haber jurado en el momento —y a seguir jurando aún ahora mismo— que lo había dicho pensando en mí; nunca fui susceptible, bien es verdad, pero cosas tan directas hay —o tan directas uno se las cree— que no hay forma ni de no darse por aludido ni de mantenerse uno en sus casillas y no saltar.

Yo le llamé la atención.

—¡Pues no le veo la gracia, la verdad!

—Pues todos se la han visto, Pascual.

—Así será, no lo niego; pero lo que digo es que no me parece de bien nacidos el hacer reír a los más metiéndose con los menos.

—No te piques, Pascual; ya sabes, el que se pica...

—Y que tampoco me parece de hombres el salir con bromas a los insultos.

—No lo dirás por mí...

—No; lo digo por el gobernador.

—Poco hombre me pareces tú para lo mucho que amenazas.

—Y que cumplo.

—¿Que cumples?

—¡Sí!

Yo me puse de pie.

—¿Quieres que salgamos al campo?

—¡No hace falta!

—¡Muy bravo te sientes!

Los amigos se echaron a un lado, que nunca fuera cosa de hombres meterse a evitar las puñaladas.

Yo abrí la navaja con parsimonia; en esos momentos una precipitación, un fallo, puede sernos de unas consecuencias funestas. Se hubiera podido oír el vuelo de una mosca, tal era el silencio.

Me fui hacia él y, antes de darle tiempo a ponerse en facha, le arreé tres navajazos que lo dejé como temblando. Cuando se lo llevaban, camino de la botica de don Raimundo, le iba manando la sangre como de un manantial...

9

Yo tiré para casa acompañado de tres o cuatro de los ínti-
mos, algo fastidiado por lo que acababa de ocurrir.

—También fue mala pata... a los tres días de casado.

Íbamos callados, con la cabeza gacha, como pesarosos.

—Él se lo buscó; la conciencia bien tranquila la tengo. ¡Si
no hubiera hablado!

—No le des más vueltas, Pascual.

—¡Hombre, es que lo siento, ya ves! ¡Después de que todo
pasó!

Era ya la madrugada y los gallos cantores lanzaban a los aires su pregón. El campo olía a jaras y a tomillo.

—¿Dónde le di?

—En un hombro.

—¿Muchas?

—Tres.

—¿Sale?

—¡Hombre, sí! ¡Yo creo que saldrá!

—Más vale.

Nunca me pareció mi casa tan lejos como aquella noche.

—Hace frío...

—No sé, yo no tengo.

—¡Será el cuerpo!

—Puede...

Pasábamos por el cementerio.

—¡Qué mal se debe estar ahí dentro!

—¡Hombre! ¿Por qué dices eso? ¡Qué pensamientos más raros se te ocurren!

—¡Ya ves!

El ciprés parecía un fantasma alto y seco, un centinela de los muertos.

—Feo está el ciprés...

—Feo.

En el ciprés una lechuza, un pájaro de mal agüero, dejaba oír su silbo misterioso.

—Mal pájaro ese.

—Malo...

—Y que todas las noches está ahí.

—Todas...

—Parece como si gustase de acompañar a los muertos.

—Parece...,

—¿Qué tienes?

—¡Nada! ¡No tengo nada! Ya ves, manías...

Miré para Domingo; estaba pálido como un agonizante.

—¿Estás enfermo?

—No...

—¿Tienes miedo?

—¿Miedo yo? ¿De quién he de tener miedo?

—De nadie, hombre, de nadie; era por decir algo.

El señorito Sebastián intervino:

—Venga, callaros; a ver si ahora la vais a emprender vosotros.

—No...

—¿Falta mucho, Pascual?

—Poco; ¿por qué?

—Por nada...

La casa parecía como si la cogieran con una mano misteriosa y se la fuesen llevando cada vez más lejos.

—¿Nos pasaremos?

—¡Hombre, no! Alguna luz ya habrá encendida.

Volvimos a callarnos. Ya poco podía faltar.

—¿Es aquello?

—Sí.

—¿Y por qué no lo decías?

—¿Para qué? ¿No lo sabías?

A mí me extrañó el silencio que había en mi casa. Las mujeres estarían aún allí según la costumbre, y las mujeres ya sabe usted lo mucho que alzan la voz para hablar.

—Parece que duermen.

—¡No creo! ¡Ahí tienen una luz!

Nos acercamos a la casa; efectivamente, había una luz.

La señora Engracia estaba a la puerta; hablaba con la s, como la lechuza del ciprés; a lo mejor tenía hasta la misma cara.

—¿Y usted por aquí?

—Pues ya ves, hijo, esperándote estaba.

—¿Esperándome?

—Sí.

El misterio que usaba conmigo la señora Engracia no me podía agradar.

—¡Déjeme pasar!

—¡No pases!

—¿Por qué?

—¡Porque no!

—¡Ésta es mi casa!

—Ya lo sé, hijo; por muchos años... Pero no puedes pasar.

—¿Pero por qué no puedo pasar?

—Porque no puede ser, hijo. ¡Tu mujer está mala!

—¿Mala?

—Sí.

—¿Qué le pasa?

—Nada; que abortó.

—Sí; la descabalgó la yegua...

La rabia que llevaba dentro no me dejó ver claro; tan obcecado estaba que ni me percaté de lo que oía.

—¿Dónde está la yegua?

—En la cuadra.

La puerta de la cuadra que daba al corral era baja de quicio. Me agaché para entrar; no se veía nada.

—¡To, yegua!

La yegua se arrimó contra el pesebre; yo abrí la navaja con cuidado; en esos momentos, el poner un pie en falso puede sernos de unas consecuencias funestas.

—¡To, yegua!

Volvió a cantar el gallo en la mañana.

—¡To, yegua!

La yegua se movía hacia el rincón. Me arrimé; llegué hasta poder darle una palmada en las ancas. El animal estaba despierto, como impaciente.

—¡To, yegua!

Fue cosa de un momento. Me eché sobre ella y la clavé; la clavé lo menos veinte veces...

Tenía la piel dura; mucho más dura que la de Zacarías... Cuando de allí salí saqué el brazo dolido; la sangre me llegaba hasta el codo. El animalito no dijo ni pío; se limitaba a respirar más hondo y más de prisa, como cuando la echaban al macho.

10

Por seguro se lo digo que —aunque después, al enfriarme, pensara lo contrario— en aquel momento no otra cosa me pasó por el magín que la idea de que el aborto de Lola pudiera habérsele ocurrido tenerlo de soltera. ¡Cuánta bilis y cuánto resquemor y veneno me hubiera ahorrado!

A consecuencia de aquel desgraciado accidente me quedé como anonadado y hundido en las más negras imaginaciones y hasta que reaccioné hubieron de pasar no menos de doce largos meses en los cuales, como evadido del espíritu, andaba por el pueblo. Al año, o poco menos, de haberse malogrado lo que hubiera de venir, quedó Lola de nuevo encinta y pude ver con alegría que idénticas ansias y los mismos desasosiegos que la vez primera me acometían: el tiempo pasaba demasiado despacio para lo de prisa que quisiera yo verlo pasar, y un humor endiablado me acompañaba como una sombra dondequiera que fuese.

Me torné huraño y montaraz, aprensivo y hosco, y como ni mi mujer ni mi madre entendieran gran cosa de caracteres, estábamos todos en un constante vilo por ver dónde saltaba la bronca. Era una tensión que nos destrozaba, pero que parecía como si la cultivásemos gozosos; todo nos parecía alusivo, todo malintencionado, todo de segunda intención. ¡Fueron unos meses de un agobio como no puede usted ni figurarse!

La idea de que mi mujer pudiera volver a abortar era algo que me sacaba de quicio; los amigos me notaban extraño, y la

Chispa —que por entonces viva andaba aún— parecía que me miraba menos cariñosa.

Yo la hablaba, como siempre.

—¿Qué tienes?

Y ella me miraba como suplicante, moviendo el rabillo muy de prisa, casi gimiendo y poniéndome unos ojos que destrozaban el corazón. A ella también se le habían ahogado las crías en el vientre. En su inocencia, ¡quién sabe si no conocería la mucha pena que su desgracia me produjera! Eran tres los perrillos que vivos no llegaron a nacer; los tres igualitos, los tres pegajosos como la almíbar, los tres grises y medio sarnosos como ratas. Abrió un hoyo entre los cantuesos y allí los metió. Cuando al salir al monte detrás de los conejos parábamos un rato por templar el aliento, ella, con ese aire doliente de las hembras sin hijos, se acercaba hasta el hoyo por olerlo.

Cuando, entrado ya el octavo mes, la cosa marchaba como sobre carriles; cuando, gracias a los consejos de la señora Engracia, el embarazo de mi mujer iba camino de convertirse en un modelo de embarazo y cuando, por el mucho tiempo pasado y por el poco que faltaba ya por pasar, todo podía hacer suponer que lo prudente sería alejar el cuidado, tales ansias me entraban, y tales prisas, que por seguro tuve desde entonces el no loquear en la vida si de aquel berenjenal salía con razón.

Hacia los días señalados por la señora Engracia, y como si la Lola fuera un reló, de precisa como andaba, vino al mundo, y con una sencillez y una felicidad que a mí ya me tenían extrañado, mi nuevo hijo, mejor dicho, mi primer hijo, a quien en la pila del bautismo pusimos por nombre Pascual, como su padre, un servidor. Yo hubiera querido ponerle Eduardo, por haber nacido en el día del santo y ser la costumbre de la tierra; pero mi mujer, que por entonces andaba cariñosa como nunca, insistió en ponerle el nombre que yo llevaba, cosa para la que poco tiempo gastó en convencerme, dada la mucha ilusión que me hacía. Mentira me parece, pero por bien cierto le aseguro que lo tengo, el que por entonces la misma ilusión que a un muchacho con botas nuevas me hicieron los accesos de cariño de mi mujer; se los agradecía de todo corazón, se lo juro.

Ella, como era de natural recio y vigoroso, a los dos días del parto estaba tan nueva como si nada hubiera pasado. La figura que formaba, toda desmelenada dándole de mamar a la criatura, fue una de las cosas que más me impresionaron en la vida; aquello sólo me compensaba con creces los muchos cientos de malos ratos pasados.

Yo me pasaba largas horas sentado a los pies de la cama. Lola me decía, muy bajo, como ruborizada:

—Ya te he dado uno...

—Sí.

—Y bien hermoso...

—Gracias a Dios.

—Ahora hay que tener cuidado con él.

—Sí, ahora es cuando hay que tener cuidado.

—De los cerdos...

El recuerdo de mi pobre hermano Mario me asaltaba; si yo tuviera un hijo con la desgracia de Mario, lo ahogaría para privarle de sufrir.

—Sí; de los cerdos...

—Y de las fiebres también.

—Sí.

—Y de las insolaciones...

—Sí; también de las insolaciones...

El pensar que aquel tierno pedazo de carne que era mi hijo, a tales peligros había de estar sujeto, me ponía las carnes de gallina.

—Le pondremos vacuna.

—Cuando sea mayorcito...

—Y lo llevaremos siempre calzado, porque no se corte los pies.

—Y cuando tenga siete añitos lo mandaremos a la escuela...

—Y yo le enseñaré a cazar...

Lola se reía, ¡era feliz! Yo también me sentía feliz, ¿por qué no decirlo?, viéndola a ella, hermosa como pocas, con un hijo en el brazo como una Santa María.

—¡Haremos de él un hombre de provecho!

¡Qué ajenos estábamos los dos a que Dios —que todo lo dispone para la buena marcha de los universos— nos lo había de quitar! Nuestra ilusión, todo nuestro bien, nuestra fortuna entera, que era nuestro hijo, habíamos de acabar perdiéndolo aun antes de poder probar a encarrilarlo. ¡Misterios de los afectos, que se nos van cuando más falta nos hacen!

Sin encontrar una causa que lo justificase, aquel gozar en la contemplación del niño me daba muy mala espina. Siempre tuve muy buen ojo para la desgracia —no sé si para mi bien o si para mi mal— y aquel presentimiento, como todos, fue a confirmarse al rodar de los meses como para seguir redondeando mi desdicha, esa desdicha que nunca parecía acabar de redondearse.

Mi mujer seguía hablándome del hijo.

—Bien se nos cría.... parece un rollito de manteca.

Y aquel hablar y más hablar de la criatura hacía que poco a poco se me fuera volviendo odiosa; nos iba a abandonar, a dejar hundidos en la desesperanza más ruin, a deshabitarnos como esos cortijos arruinados de los que se apoderan las zarzas y las ortigas, los sapos y los lagartos, y yo lo sabía, estaba seguro de ello, sugestionado de su fatalidad, cierto de que más tarde o más temprano tenía que suceder, y esa certeza de no poder oponerme a lo que el instinto me decía, me ponía los genios en una tensión que me los forzaba.

Yo algunas veces me quedaba mirando como un inocente para Pascualillo, y los ojos a los pocos minutos se me ponían arrasados por las lágrimas; le hablaba.

—Pascual, hijo...

Y él me miraba con sus redondos ojos y me sonreía.

Mi mujer volvía a intervenir.

—Pascual, bien se nos cría el niño.

—Bien, Lola. ¡Ojalá siga así!

—¿Por qué lo dices?

—Ya ves. ¡Las criaturas son tan delicadas!

—¡Hombre, no seas mal pensado!

—No; mal pensado, no... ¡Hemos de tener mucho cuidado!

—Mucho.

—Y evitar que se nos resfríe.

—Sí... ¡Podría ser su muerte!

—Los niños mueren de resfriado...

—¡Algún mal aire!

La conversación iba muriendo poco a poco, como los pájaros o como las flores, con la misma dulzura y lentitud con las que, poco a poco también, mueren los niños, los niños atravesados por algún mal aire traidor...

—Estoy como espantada, Pascual.

—¿De qué?

—¡Mira que si se nos va!

—¡Mujer!

—¡Son tan tiernas las criaturas a esta edad!

—Nuestro hijo bien hermoso está, con sus carnes rosadas y su risa siempre en la boca.

—Cierto es, Pascual. ¡Soy tonta!

Y se reía, toda nerviosa, abrazando al hijo contra su pecho.

—¡Oye!

—¡Qué!

—¿De qué murió el hijo de la Carmen?

—¿Y a ti qué más te da?

—¡Hombre! Por saber...

—Dicen que murió de moquillo.

—¿Por algún mal aire?

—Parece.

—¡Pobre Carmen, con lo contenta que andaba con el hijo! La misma carita de cielo del padre —decía—, ¿te acuerdas?

—Sí, me acuerdo.

—Contra más ilusión se hace una, parece como si más apuro hubiese por hacérnoslo perder...

—Sí.

—Debería saberse cuánto había de durarnos cada hijo, que lo llevasen escrito en la frente...

—¡Calla!

—¿Por qué?

—¡No puedo oírte!

Un golpe de azada en la cabeza no me hubiera dejado en aquel momento más aplanado que las palabras de Lola.

—¿Has oído?

—¡Qué!

—La ventana.

—¿La ventana?

—Sí; chirría como si quisiera atravesarla algún aire...

El chirriar de la ventana, mecida por el aire, se fue a confundir con una queja.

—¿Duerme el niño?

—Sí.

—Parece como que sueña.

—No lo oigo.

—Y que se lamenta como si tuviera algún mal...

—¡Aprensiones!

—¡Dios te oiga! Me dejaría sacar los ojos...

En la alcoba, el quejido del niño semejaba el llanto de las encinas pasadas por el viento.

—¡Se queja!

Lola se fue a ver qué le pasaba; yo me quedé en la cocina fumando un pitillo, ese pitillo que siempre me cogen fumando los momentos de apuro.

....

Pocos días duró. Cuando lo devolvimos a la tierra, once meses tenía; once meses de vida y de cuidados a los que algún mal aire traidor echó por el suelo...

11

¡Quién sabe si no sería Dios que me castigaba por lo mucho que había pecado y por lo mucho que había de pecar todavía! ¡Quién sabe si no sería que estaba escrito en la divina memoria que la desgracia había de ser mi único camino, la única senda por la que mis tristes días habían de discurrir!

A la desgracia no se acostumbra uno, créame, porque siempre nos hacemos la ilusión de que la que estamos soportando la última ha de ser, aunque después, al pasar de los tiempos, nos vayamos empezando a convencer —¡y con cuánta tristeza!— que lo peor aún está por pasar...

Se me ocurren estos pensamientos porque si cuando el aborto de Lola y las cuchilladas de Zacarías creí desfallecer de la nostalgia, no por otra cosa era —¡bien es cierto!— sino porque aún no sospechaba en lo que había de parar.

Tres mujeres hubieron de rodearme cuando Pascualillo nos abandonó; tres mujeres a las que por algún vínculo estaba unido, aunque a veces me encontrase tan extraño a ellas como al primer desconocido que pasase, tan desligado de ellas como del resto del mundo, y de esas tres mujeres, ninguna, créame usted, ninguna, supo con su cariño o con sus modales hacerme más llevadera la pena de la muerte del hijo; al contrario, parecía como si se hubiesen puesto de acuerdo para amargarme la vida. Esas tres mujeres eran mi mujer, mi madre y mi hermana.

¡Quién lo hubiera de decir, con las esperanzas que en su compañía llegué a tener puestas!

Las mujeres son como los grajos, de ingratas y malignas.
Siempre estaban diciendo:

—¡El angelito que un mal aire se llevó!

—¡Para los limbos por librarlo de nosotros!

—¡La criatura que era mismamente un sol!

—¡Y la agonía!

—¡Que ahogadito en los brazos lo hube de tener!

Parecía una letanía, agobiadora y lenta como las noches de vino, despaciosa y cargante como las andaduras de los asnos.

Y así un día, y otro día, y una semana, y otra... ¡Aquello era horrible, era un castigo de los cielos, a buen seguro, una maldición de Dios!

Y yo me contenía.

«Es el cariño —pensaba— que las hace ser crueles sin querer».

Y trataba de no oír, de no hacer caso, de verlas accionar sin tenerlas más en cuenta que si fueran fantoches, de no poner cuidado en sus palabras... Dejaba que la pena muriese con el tiempo, como las rosas cortadas, guardando mi silencio como una joya por intentar sufrir lo menos que pudiera. ¡Vanas ilusiones que no habían de servirme para otra cosa que para hacerme extrañar más cada día la dicha de los que nacen para la senda fácil, y cómo Dios permitía que tomarais cuerpo en mi imaginación!

Temía la puesta del sol como al fuego o como a la rabia; el encender el candil de la cocina, a eso de las siete de la tarde, era lo que más me dolía hacer en toda la jornada. Todas las sombras me recordaban al hijo muerto, todas las subidas y bajadas de la llama, todos los ruidos de la noche, esos ruidos de la noche que casi no se oyen, pero que suenan en nuestros oídos como los golpes del hierro contra el yunque.

Allí estaban, enlutadas como cuervos, las tres mujeres, calladas como muertos, hurañas, serias como carabineros. Algunas veces yo les hablaba por tratar de romper el hielo.

—Duro está el tiempo.

—Sí...

Y volvíamos todos al silencio.

Yo insistía.

—Parece que el señor Gregorio ya no vende la mula. ¡Para algo la necesitará!

—Sí...

—¿Habéis estado en el río?

—No...

—¿Y en el cementerio?

—Tampoco...

No había manera de sacarlas de ahí. La paciencia que con ellas usaba, ni la había usado jamás, ni jamás volviera a usarla con nadie. Hacía como si no me diese cuenta de lo raras que estaban, para no precipitar el escándalo que sin embargo había de venir, fatal como las enfermedades y los incendios, como los amaneceres y como la muerte, porque nadie era capaz de impedirlo.

Las más grandes tragedias de los hombres parecen llegar como sin pensarlas, con su paso de lobo cauteloso, a asestarnos su aguijonazo repentino y taimado como el de los alacranes.

Las podría pintar como si ante mis ojos todavía estuvieran, con su sonrisa amarga y ruin de hembras enfriadas, con su mirar perdido muchas leguas a través de los muros. Pasaban cruelmente los instantes; las palabras sonaban a voz de aparecido...

—Ya es la noche cerrada.

—Ya lo vemos...

La lechuza estaría sobre el ciprés.

—Fue como ésta, la noche...

—Sí.

—Era ya algo más tarde...

—Sí.

—El mal aire traidor andaba aún por el campo...

....

—Perdido en los olivos...

—Sí.

El silencio con su larga campana volvió a llenar el cuarto.

—¿Dónde andará aquel aire?

....

—¡Aquel mal aire traidor!

Lola tardó algún tiempo en contestar.

—No sé...

—¡Habrá llegado al mar!

—Atravesando criaturas...

Una leona atacada no tuviera aquel gesto que puso mi mujer.

—¡Para que una se raje como una granada! ¡Parir para que el aire se lleve lo parido, mal castigo te espere!

—¡Si la vena de agua que mana gota a gota sobre el charco pudiera haber ahogado aquel mal aire!

....

12

—¡Estoy hasta los huesos de tu cuerpo!

....

—¡De tu carne de hombre que no aguanta los tiempos!

....

—¡Ni aguanta el sol de estío!

....

—¡Ni los fríos de diciembre!

....

—¡Para esto crié yo mis pechos, duros como el pedernal!

....

—¡Para esto crié yo mi boca, fresca como la pavía!

....

—¡Para esto te di yo dos hijos, que ni el andar de la caballería ni el mal aire en la noche supieron aguantar!

....

Estaba como loca, como poseída por todos los demonios, alborotada y fiera como un gato montés... Yo aguantaba callado la gran verdad.

—¡Eres como tu hermano!

... la puñalada a traición que mi mujer gozaba en asestarme...

....

Para nada nos vale el apretar el paso al vernos sorprendidos en el medio de la llanura por la tormenta. Nos mojamos lo mismo y nos fatigamos mucho más. Las centellas nos azaran, el ruido de los truenos nos destempla y nuestra sangre, como incomodada, nos golpea las sienes y la garganta.

—¡Ay, si tu padre Esteban viera tu poco arranque!

....

—¡Tu sangre que se vierte en la tierra al tocarla!

....

—¡Esa mujer que tienes!

....

¿Había de seguir? Muchas veces brilló el sol para todos; pero su luz, que ciega a los albinos, no les llega a los negros para pestañear.

—¡No siga!

Mi madre no podía reprochar mi dolor, el dolor que en mi pecho dejara el hijo muerto, la criatura que en sus once meses fue talmente un lucero.

Se lo dije bien claro; todo lo claro que se puede hablar.

—El fuego ha de quemarnos a los dos, madre.

—¿Qué fuego?

—Ese fuego con el que usted está jugando...

Mi madre puso un gesto como extraño.

—¿Qué es lo que quieres ver?

—Que tenemos los hombres un corazón muy recio.

—Que para nada ós sirve...

—¡Nos sirve para todo!

No entendía; mi madre no entendía. Me miraba, me hablaba... ¡Ay, si no me mirara!

—¿Ves los lobos que tiran por el monte, el gavilán que vuela hasta las nubes, la víbora que espera entre las piedras?

....

—¡Pues peor que todos juntos es el hombre!

—¿Por qué me dices esto?

—¡Por nada!

Pensé decirle:

—¡Porque os he de matar!

Pero la voz se me trabó en la lengua.

....
....

Y me quedé yo solo con la hermana, la desgraciada, la deshonrada, aquella que manchaba el mirar de las mujeres decentes.

—¿Has oído?

—Sí.

—¡Nunca lo hubiera creído!

—Ni yo...

—Nunca había pensado que era un hombre maldito.

—No lo eres...

El aire se alzó sobre el monte, aquel mal aire traidor que anduvo en los olivos, que llegará hasta el mar atravesando criaturas... Chirriaba en la ventana con su quejido.

La Rosario estaba como llorosa.

—¿Por qué dices que eres un hombre maldito?
—No soy yo quien lo dice.

....

—Son esas dos mujeres...
La llama del candil subía y bajaba como la respiración; en la cocina olía a acetileno, que tiene un olor acre y agradable que se hunde hasta los nervios, que nos excita las carnes, estas pobres y condenadas carnes mías a las que tanta falta hacía por aquella fecha alguna excitación.
Mi hermana estaba pálida; la vida que llevaba dejaba su señal cruel por las ojeras. Yo la quería con ternura, con la misma ternura con la que ella me quería a mí.
—Rosario, hermana mía...
—Pascual...
—Triste es el tiempo que a los dos nos aguarda.
—Todo se arreglará...
—¡Dios lo haga!
Mi madre volvía a intervenir.
—Mal arreglo le veo.
Y mi mujer, ruin como las culebras, sonreía su maldad.
—¡Bien triste es esperar que sea Dios quien lo arregle!
Dios está en lo más alto y es como un águila con su mirar; no se le escapa detalle.
—¡Y si Dios lo arreglase!
—No nos querrá tan bien...

....
....

Se mata sin pensar, bien probado lo tengo; a veces, sin querer. Se odia, se odia intensamente, ferozmente, y se abre la navaja, y con ella bien abierta se llega, descalzo, hasta la cama donde duerme el enemigo. Es de noche, pero por la ventana entra el claror de la luna; se ve bien. Sobre la cama está echado el muerto, el que va a ser el muerto. Uno lo mira, lo oye respirar; no se mueve, está quieto como si nada fuera a pasar. Como la alcoba es vieja, los muebles nos asustan con su crujir que puede despertarlo, que a lo mejor había de precipitar las puñaladas. El enemigo levanta un poco el embozo y se da la vuelta: sigue dormido. Su cuerpo abulta mucho; la ropa engaña. Uno se acerca cautelosamente; lo toca con la mano con cuidado. Está dormido, bien dormido; ni se había de enterar...

Pero no se puede matar así; es de asesinos. Y uno piensa volver sobre sus pasos, desandar lo ya andado... No; no es posible. Todo está muy pensado; es un instante, un corto instante y después...

Pero tampoco es posible volverse atrás. El día llegará y en el día no podríamos aguantar su mirada, esa mirada que en nosotros se clavará aún sin creerlo.

Habrá que huir; que huir lejos del pueblo, donde nadie nos conozca, donde podamos empezar a odiar con odios nuevos. El odio tarda años en incubar; uno ya no es un niño y cuando el odio crezca y nos ahogue los pulsos, nuestra vida se irá. El corazón no albergará más hiel y ya estos brazos, sin fuerza, caerán...

13

Cerca de un mes entero he estado sin escribir; tumbado boca arriba sobre el jergón; viendo pasar las horas, esas horas que a veces parecen tener alas y a veces se nos figuran como paralíticas; dejando volar libre la imaginación, lo único que libre en mí puede volar; contemplando los desconchados del techo; buscándoles parecidos, y en este largo mes he gozado —a mi manera— de la vida como no había gozado en todos los años anteriores: a pesar de todos los pesares y preocupaciones.

Cuando la paz invade las almas pecadoras es como cuando el agua cae sobre los barbechos, que fecunda lo seco y hace fructificar al erial. Lo digo porque, si bien más tiempo, mucho más tiempo del debido tardé en averiguar que la tranquilidad es como una bendición de los cielos, como la más preciada bendición que a los pobres y a los sobresaltados nos es dado esperar, ahora que ya lo sé, ahora que la tranquilidad con su amor ya me acompaña, disfruto de ella con un frenesí y un regocijo que mucho me temo que, por poco que me reste de respirar —¡y bien poco me resta!—, la agote antes de tiempo. Es probable que si la paz a mí me hubiera llegado algunos años antes, a estas alturas fuera, cuando menos, cartujo, porque tal luz vi en ella y tal bienestar, que dudo mucho que entonces no hubiera sido fascinado como ahora lo soy. Pero no quiso Dios que esto ocurriera y hoy me encuentro encerrado y con una condena sobre la cabeza que no sé qué sería mejor, si que cayera de una buena vez o que siguiera alargando esta agonía, a la que sin embargo me aferro con más cariño, si aún cupiese, que el que para aferrarme emplearía de ser suave mi vivir. Usted sabe muy bien lo que quiero decir.

En este largo mes que dediqué a pensar, todo pasó por mí: la pena y la alegría, el gozo y la tristeza, la fe y la desazón y la desesperanza... ¡Dios, y en qué flacas carnes fuiste a experimentar! Temblaba como si tuviera fiebre cuando un estado del alma se marchaba porque viniese el otro, y a mis ojos acudían las lágrimas como temerosas. Son muchos treinta días seguidos dedicado a pensar en una sola cosa, dedicado a criar los más profundos remordimientos, solamente preocupado por la idea de que todo lo malo pasado ha de conducirnos al infierno... Envidio al ermitaño con la bondad en la cara, al pájaro del cielo, al pez del agua, incluso a la alimaña de entre los matorrales, porque tienen tranquila la memoria. ¡Mala cosa es el tiempo pasado en el pecado!

Ayer me confesé; fui yo quien di el aviso al sacerdote. Vino un curita viejo y barbilampiño, el padre Santiago Lurueña, bondadoso y acongojado, caritativo y raído como una hormiga.

Es el capellán, el que dice la misa los domingos, esa misa que oyen un centenar de asesinos, media docena de guardias y dos pares de monjas.

Cuando entró lo recibí de pie.

—Buenas tardes, padre.

—Hola, hijo; me dicen que me llamas.

—Sí, señor; yo lo llamo.

Él se acercó hasta mí y me besó en la frente. Hacía muchos años que nadie me besaba.

—¿Es para confesarte?

—Sí, señor.

—Hijo, ¡me das una alegría!

—Yo estoy también contento, padre.

—Dios todo lo perdona; Dios es muy bondadoso...

—Sí, padre.

—Y es dichoso de ver retornar a la oveja descarriada.

—Sí, padre.

—Al hijo pródigo que vuelve a la casa paterna.

Me tenía la mano cogida con cariño, apoyada sobre la sotana, y me miraba a los ojos como queriendo que le entendiera mejor.

—La fe es como la luz que guía nuestras almas a través de las tinieblas de la vida.

—Sí...

—Como un bálsamo milagroso para las almas dolidas.

Don Santiago estaba emocionado; su voz temblaba como la de un niño azarado. Me miró sonriente, con su sonrisa suave que parecía la de un santo.

—¿Tú sabes lo que es la confesión?

Me acobardaba el contestar. Tuve que decir, con un hilo de voz:

—No mucho.

—No te preocupes, hijo; nadie nace sabiendo.

Don Santiago me explicó algunas cosas que no entendí del todo; sin embargo, debían ser verdad porque a verdad sonaban. Estuvimos hablando mucho tiempo, casi toda la tarde; cuando acabamos de conversar ya el sol se había traspuesto más allá del horizonte.

—Prepárate a recibir el perdón, hijo mío, el perdón que te doy en nombre de Dios nuestro Señor... Reza conmigo el Señor mío Jesucristo...

Cuando don Santiago me dio la bendición, tuve que hacer un esfuerzo extraordinario para recibirla sin albergar pensamientos siniestros en la cabeza; la recibí lo mejor que pude, se lo aseguro. Pasé mucha vergüenza, muchísima, pero nunca fuera tanta como la que creí pasar. No pude pegar ojo en toda la noche y hoy estoy fatigado y abatido como si me hubieran dado una paliza; sin embargo, como ya tengo aquí el montón de cuartillas que pedí al director, y como del aplanamiento en que me hundo no de otra manera me es posible salir si no es emborronando papel y más papel, voy a ver de empezar de nuevo, de coger otra vez el hilo del relato y de dar un empujón a estas memorias para ponerlas en el camino del fin. Veremos si me encuentro con fuerzas suficientes, que buena falta me harán. Cuando pienso en que de precipitarse un poco más los acontecimientos, mi narración se expone a quedarse a la mitad y como mutilada, me entran unos apuros y unas prisas que me veo y me deseo para dominarlos porque pienso que si escribiendo, como escribo, poco a poco y con los cinco sentidos puestos en lo que hago, no del todo claro me ha de salir el cuento, si éste lo fuera a soltar como en chorro, tan desmañado y deslavazado habría de quedar que ni su mismo padre —que soy yo— por hijo lo tendría. Estas cosas en las que tanta parte tiene la memoria hay que cuidarlas con el mayor cariño porque de trastocar los acontecimientos no otro arreglo tendría el asunto sino romper los papeles para reanudar la escritura, solución de la que escapo como del peligro por eso de que nunca segundas partes fueran buenas. Quizás encuentre usted presumido este afán mío de que las cosas secundarias me salgan bien cuando las principales tan mal andan, y quizás piense usted con la sonrisa en la boca que es mucha pretensión por parte mía tratar de no apurarme, porque salga mejor, en esto que cualquier persona instruida haría con tanta naturalidad y como a la pata la llana, pero si tiene en cuenta que el esfuerzo que para mí supone llevar escribiendo casi sin parar desde hace cuatro meses, a nada que haya hecho en mi vida es comparable, es posible que encuentre una disculpa para mi razonar.

Las cosas nunca son como a primera vista las figuramos, y así ocurre que cuando empezamos a verlas de cerca, cuando empezamos a trabajar sobre ellas, nos presentan tan raros y hasta tan desconocidos aspectos, que de la primera idea no nos dejan a veces ni el recuerdo; tal pasa con las caras que nos imaginamos, con los pueblos que vamos a conocer, que nos los hacemos de tal o de cual forma en la cabeza, para olvidarnos repentinamente ante la vista de lo verdadero. Esto es lo que me ocurrió con este papeleo, que si al principio creí que en ocho días lo despacharía, hoy —al cabo de ciento veinte— me sonrío no más que de pensar en mi inocencia.

No creo que sea pecado contar barbaridades de las que uno está arrepentido. Don Santiago me dijo que lo hiciese si me traía consuelo, y como me lo trae, y don Santiago es de esperar que sepa por dónde anda en materia de mandamientos, no veo que haya de ofenderse Dios porque con ello siga. Hay ocasiones en las que me duele contar punto por punto los detalles, grandes o pequeños, de mi triste vivir, pero, y como para compensar, momentos hay también en que con ello gozo con el más honesto de los gozares, quizá por eso de que al contarlo tan alejado me encuentre de todo lo pasado como si lo contase de oídas y de algún desconocido. ¡Buena diferencia va entre lo pasado y lo que yo procuraría que pasara si pudiese volver a comenzar!; pero hay que conformarse con lo inevitable, con lo que no tiene arreglo posible; a lo hecho pecho, y tratar de evitar que continúe, que bien lo evito aunque ayudado —es cierto— por el encierro. No quiero exagerar la nota de mi mansedumbre en esta última hora de mi vida, porque en su boca se me imagina oír un a la vejez viruelas, que más vale que no sea pronunciado, pero quiero, sin embargo, dejar las cosas en su último punto y asegurarle que ejemplo de familias sería mi vivir si hubiera discurrido todo él por las serenas sendas de hoy.

Voy a continuar. Un mes sin escribir es mucha calma para el que tiene contados los latidos, y demasiada tranquilidad para quien la costumbre forzó a ser intranquilo.

14

No perdí el tiempo en preparar la huida; asuntos hay que no admiten la espera, y éste uno de ellos es. Volqué el arca en la bolsa, la despensa en la alforja y el lastre de los malos pensamientos en el fondo del pozo y, aprovechándome de la noche como un ladrón, cogí el portante, enfilé la carretera y comencé a caminar —sin saber demasiado a dónde ir— campo adelante y tan seguido que, cuando amaneció y el cansancio que notaba en los huesos ya era mucho, quedaba el pueblo, cuando menos, tres leguas a mis espaldas. Como no quería frenarme, porque por aquellas tierras alguien podría reconocerme todavía, descabecé un corto sueñecito en un olivar que había a la vera del camino, comí un bocado de las reservas, y seguí adelante con ánimo de tomar el tren tan pronto como me lo topase. La gente me miraba con extrañeza, quizá por el aspecto de trotamundos que llevaba, y los niños me seguían curiosos al cruzar los poblados como siguen a los húngaros o a los descalabrados; sus miradas inquietas y su porte infantil, lejos de molestarme, me acompañaban, y si no fuera porque temía por entonces a las mujeres como al cólera morbo, hasta me hubiera atrevido a regalarles con alguna cosilla de las que para mí llevaba.

Al tren lo fui a alcanzar en Don Benito, donde pedí un billete para Madrid, con ánimo no de quedarme en la corte sino de continuar a cualquier punto desde el que intentaría saltar a las Américas; el viaje me resultó agradable porque el vagón en que iba no estaba mal acondicionado y porque era para mí mucha novedad el ver pasar el campo como en una sábana de la que alguna mano invisible estuviera tirando, y cuando por bajarse todo el mundo averigüé que habíamos llegado a Madrid, tan lejos de la capital me imaginaba que el corazón me dio un vuelco en el pecho; ese vuelco en el pecho que el corazón siempre da cuando encontramos lo cierto, lo que ya no tiene remedio, demasiado cercano para tan alejado como nos lo habíamos imaginado.

Como bien percatado estaba de la mucha picaresca que en Madrid había, y como llegamos de noche, hora bien a propósito para que los truhanes y rateros hicieran presa en mí, pensé que la mayor prudencia había de ser esperar a la amanecida para buscarme alojamiento y aguantar mientras tanto dormitando en algún banco de los muchos que por la estación había. Así lo hice; me busqué uno del extremo, algo apartado del mayor bullicio, me instalé lo más cómodo que pude y, sin más protección que la del ángel de mi guarda, me quedé más dormido que una piedra aunque al echarme pensara en imitar el sueño de la perdiz, con un ojo en la vela mientras descansa el otro. Dormí profundamente, casi hasta el nuevo día, y cuando desperté tal frío me había cogido los huesos y tal humedad sentía en el cuerpo que pensé que lo mejor sería no parar ni un solo momento más; salí de la estación y me acerqué hasta un grupo de obreros que alrededor de una hoguera estaban reunidos, donde fui bien recibido y en donde pude echar el frío de los cueros al calor de la lumbre. La conversación, que al principio parecía como moribunda, pronto reavivó y como aquélla me parecía buena gente y lo que yo necesitaba en Madrid eran amigos, mandé a un golfillo que por allí andaba por un litro de vino, litro del que no caté ni gota, ni cataron conmigo los que conmigo estaban porque la criatura, que debía saber más que Lepe, cogió los cuartos y no le volvimos a ver el pelo. Como mi idea era obsequiarlos y como, a pesar de que se reían de la faena del muchacho, a mí mucho me interesaba hacer amistad con ellos, esperé a que amaneciera y, tan pronto como ocurrió, me acerqué con ellos hasta un cafetín donde pagué a cada uno un café con leche que sirvió para atraérmelos del todo de agradecidos como quedaron. Les hablé de alojamiento y uno de ellos —Ángel Estévez, de nombre— se ofreció a albergarme en su casa y a darme de comer dos veces al día, todo por diez reales, precio que de momento no hubo de parecerme caro si no fuera que me salió, todos los días que en Madrid y en su casa estuve, incrementado con otros diez diarios por lo menos, que el Estévez me ganaba por las noches con el juego de las siete y media, al que tanto él como su mujer eran muy aficionados.

En Madrid no estuve muchos días, no llegaron a quince, y el tiempo que en él paré lo dediqué a divertirme lo más barato que podía y a comprar algunas cosillas que necesitaba y que encontré a buen precio en la calle de Postas y en la plaza Mayor; por las tardes, a eso de la caída del sol, me iba a gastar una peseta en un café cantante que había en la calle de la Aduana —el Edén Concert se llamaba— y ya en él me quedaba, viendo las artistas, hasta la hora de la cena, en que tiraba para la buhardilla del Estévez, en la calle de la Ternera. Cuando llegaba, ya allí me lo encontraba por regla general; la mujer sacaba el cocido, nos lo comíamos, y después nos liábamos a la baraja acompañados de dos vecinos que subían todas las noches, alrededor de la camilla, con los pies bien metidos en las brasas, hasta la madrugada. A mí aquella vida me resultaba entretenida y si no fuera porque me había hecho el firme propósito de no volver al pueblo, en Madrid me hubiera quedado hasta agotar el último céntimo.

La casa de mi huésped parecía un palomar, subida como estaba en un tejado, pero como no la abrían ni por hacer un favor y el braserillo lo tenían encendido día y noche, no se estaba mal, sentado a su alrededor con los pies debajo de las faldas de la mesa. La habitación que a mí me destinaron tenía inclinado el cielo raso por la parte donde colocaron el jergón y en más de una ocasión, hasta que me acostumbré, hube de darme con la cabeza en una traviesa que salía y que yo nunca me percataba de que allí estaba. Después, y cuando me fui haciendo al terreno tomé cuenta de los entrantes y salientes de la alcoba y hasta a ciegas ya hubiera sido capaz de meterme en la cama. Todo es según nos acostumbramos.

Su mujer que, según ella misma me dijo, se llamaba Concepción Castillo López, era joven, menuda, con una carilla pícara que la hacía simpática y presumida y pizpireta como es fama que son las madrileñas; me miraba con todo descaro, hablaba conmigo de lo que fuese, pero pronto me demostró —tan pronto como yo me puse a tiro para que me lo demostrase— que con ella no había nada que hacer, ni de ella nada que esperar. Estaba enamorada de su marido y para ella no existía más hombre que él; fue una pena, porque era guapa y agradable como pocas, a pesar de lo distinta que me parecía de las mujeres de mi tierra, pero como nunca me diera pie absolutamente para nada y, de otra parte, yo andaba como acobardado, se fue librando y creciendo ante mi vista hasta que llegó el día en que tan lejos la vi que ya ni se me ocurriera pensar siquiera en ella. El marido era celoso como un sultán y poco debía fiarse de su mujer porque no la dejaba ni asomarse a la escalera; me acuerdo que un domingo por la tarde, que se le ocurrió al Estévez convidarme a dar un paseo por el Retiro con él y con su mujer, se pasó las horas haciéndola cargos sobre si miraba o si dejaba de mirar a éste o a aquél, cargos que su mujer aguantaba incluso con satisfacción y con un gesto de cariño en la faz que era lo que más me desorientaba por ser lo que menos esperaba. En el Retiro anduvimos dando vueltas por el paseo de al lado del estanque y en una de ellas el Estévez se lió a discutir a gritos con otro que por allí pasaba, y a tal velocidad y empleando unas palabras tan rebuscadas que yo me quedé a menos de la mitad de lo que dijeron; reñían porque, por lo visto, el otro había mirado para la Concepción, pero lo que más extrañado me tiene todavía es cómo, con la sarta de insultos que se escupieron, no hicieron ni siquiera además de llegar a las manos. Se mentaron a las madres, se llamaron a grito pelado chulos y cornudos, se ofrecieron comerse las asaduras, pero lo que es más curioso, ni se tocaron un pelo de la ropa. Yo estaba asustado viendo tan poco frecuentes costumbres pero, como es natural, no metí baza, aunque andaba prevenido por si había de salir en defensa del amigo. Cuando se aburrieron de decirse inconveniencias se marcharon cada uno por donde había venido y allí no paso nada.

¡Así da gusto! Si los hombres del campo tuviéramos las tragaderas de los de las poblaciones, los presidios estarían deshabitados como islas.

A eso de las dos semanas, y aun cuando de Madrid no supiera demasiado, que no es ésta ciudad para llegar a conocerla al vuelo, decidí reanudar la marcha hacia donde había marcado mi meta, preparé el poco equipaje que llevaba en una maletilla que compré, saqué el billete del tren, y acompañado de Estévez, que no me abandonó hasta el último momento, salí para la estación —que era otra que por la que había llegado— y emprendí el viaje a La Coruña que, según me asesoraron, era un sitio de cruce de los vapores que van a las Américas. El viaje hasta el puerto fue algo más lento que el que hice desde el pueblo hasta Madrid, por ser mayor la distancia, pero como pasó la noche por medio y no era yo hombre a quien los movimientos y el ruido del tren impidieran dormir, se me pasó más de prisa de lo que creí y me anunciaban los vecinos y a las pocas horas de despertarme me encontré a la orilla de la mar, que fuera una de las cosas que más me anonadaron en esta vida, de grande y profunda que me pareció.

Cuando arreglé los primeros asuntillos me di perfecta cuenta de mi candor al creer que las pesetas que traía en el bolso habrían de bastarme para llegar a América. ¡Jamás hasta entonces se me había ocurrido pensar lo caro que resultaba un viaje por mar! Fui a la agencia, pregunté en una ventanilla, de donde me mandaron a preguntar a otra, esperé en una cola que duró, por lo bajo, tres horas, y cuando me acerqué hasta el empleado y quise empezar a inquirir sobre cuál destino me sería más conveniente y cuánto dinero habría de costarme, él —sin soltar ni palabra— dio media vuelta para volver al punto con un papel en la mano.

—Itinerarios..., tarifas... Salidas de La Coruña los días 5 y 20.

Yo intenté persuadirle de que lo que quería era hablar con él de mi viaje, pero fue inútil. Me cortó con una sequedad que me dejó desorientado.

—No insista.

Me marché con mi itinerario y mi tarifa y guardando en la memoria los días de las salidas. ¡Qué remedio!

En la casa donde vivía, estaba también alojado un sargento de artillería que se ofreció a descifrarme lo que decían los papeles que me dieron en la agencia, y en cuanto me habló del precio y de las condiciones del pago se me cayó el alma a los pies cuando calculé que no tenía ni para la mitad. El problema que se me presentaba no era pequeño y yo no le encontraba solución; el sargento, que se llamaba Adrián Nogueira, me animaba mucho —él también había estado allá— y me hablaba constantemente de La Habana y hasta de Nueva York. Yo —¿para qué ocultarlo?— lo escuchaba como embobado y con una envidia como a nadie se la tuve jamás, pero como veía que con su charla lo único que ganaba era alargarme los dientes, le rogué un día que no siguiera porque ya mi propósito de quedarme en el país estaba hecho; puso una cara de no entender como jamás la había visto, pero, como era hombre discreto y reservado como todos los gallegos, no volvió a hablarme del asunto ni una sola vez.

La cabeza la llegué a tener como molida de lo mucho que pensé en lo que había de hacer, y como cualquier solución que no fuera volver al pueblo me parecía aceptable, me agarré a todo lo que pasaba, cargué maletas en la estación y fardos en el muelle, ayudé a la labor de la cocina en el hotel Ferrocarrilana, estuve de sereno una temporadita en la fábrica de Tabacos, e hice de todo un poco hasta que terminé mi tiempo de puerto de mar viviendo en casa de la Apacha, en la calle del Papagayo, subiendo a la izquierda, donde serví un poco para todo, aunque mi principal trabajo se limitaba a poner de patitas en la calle a aquellos a quienes se les notaba que no iban más que a alborotar.

Allí llegué a parar hasta un año y medio, que unido al medio año que llevaba por el mundo y fuera de mi casa, hacía que me acordase con mayor frecuencia de la que llegué a creer en lo que allí dejé; al principio era sólo por las noches, cuando me metía en la cama que me armaban en la cocina, pero poco a poco se fue extendiendo el pensar horas y horas hasta que llegó el día en que la morriña —como decían en La Coruña— me llegó a invadir de tal manera que tiempo me faltaba para verme de nuevo en la choza sobre la carretera. Pensaba que había de ser bien recibido por mi familia —el tiempo todo lo cura— y el deseo crecía en mí como crecen los hongos en la humedad. Pedí dinero prestado que me costó algún trabajo obtener, pero que, como todo, encontré insistiendo un poco, y un buen día, después de despedirme de todos mis protectores, con la Apacha a la cabeza, emprendí el viaje de vuelta, el viaje que tan feliz término le señalaba si el diablo —cosa que yo entonces no sabía— no se hubiera empeñado en hacer de las suyas en mi casa y en mi mujer durante mi ausencia. En realidad no deja de ser natural que mi mujer, joven y hermosa por entonces, notase demasiado, para lo poco instruida que era, la falta del marido: mi huida, mi mayor pecado, el que nunca debí cometer y el que Dios quiso castigar quién sabe si hasta con crueldad...

15

Siete días desde mi retorno habían transcurrido, cuando mi mujer, que con tanto cariño, por lo menos por fuera, me había recibido, me interrumpió los sueños para decirme:

—Estoy pensando que te recibí muy fría.

—¡No, mujer!

—Es que no te esperaba, ¿sabes?, que no creí verte llegar...

—Pero ahora te alegras, ¿no?

—Sí; ahora me alegro...

Lola estaba como traspasada; se la notaba un gran cambio en todo lo suyo.

—¿Te acordaste siempre de mí?

—Siempre, ¿por qué crees que he vuelto?

Mi mujer volvía a estar otro rato silenciosa.

—Dos años es mucho tiempo...

—Mucho.

—Y en dos años el mundo da muchas vueltas...

—Dos; me lo dijo un marinero de La Coruña.

—¡No me hables de La Coruña!

—¿Por qué?

—Porque no. ¡Ojalá no existiese La Coruña!

Ahuecaba la voz para decirme esto, y su mirar era como un bosque de sombras.

—¡Muchas vueltas!

—¡Muchas!

—Y una piensa: en dos años que falta, Dios se lo habrá llevado.

—¿Qué más vas a decir?

—¡Nada!

Lola se echó a llorar amargamente. Con un hilo de voz me confesó:

—Voy a tener un hijo.

—¿Otro hijo?

—Sí.

Yo me quedé como asustado.

—¿De quién?

—¡No preguntes!

—¿Que no pregunte? ¡Yo quiero preguntar! ¡Soy tu marido!

Ella soltó la voz.

—¡Mi marido que me quiere matar! ¡Mi marido que me tiene dos largos años abandonada! ¡Mi marido que me huye como si fuera una leprosa! Mi marido...

—¡No sigas!

Sí; mejor era no seguir, me lo decía la conciencia. Mejor era dejar que el tiempo pasara, que el niño naciera... Los vecinos empezarían a hablar de las andanzas de mi mujer, me mirarían de reojo, se pondrían a cuchichear en voz baja al verme pasar...

—¿Quieres que llame a la señora Engracia?

—Ya me ha visto.

—¿Qué dice?

—Que va bien la cosa.

—No es eso... No es eso...

—¿Qué querías?

—Nada..., que conviene que entre todos arreglemos la cosa.

Mi mujer puso un gesto como suplicante.

—Pascual, ¿serías capaz?

—Sí, Lola; muy capaz. ¿Iba a ser el primero?

—Pascual; lo siento con más fuerza que ninguno, siento que ha de vivir...

—¡Para mi deshonra!

—O para tu dicha, ¿qué sabe la gente?

—¿La gente? ¡Vaya si lo sabrá!

Lola sonreía, con una sonrisa de niño maltratado que hería a la mirada.

—¡Quién sabe si podremos hacer que no lo sepa!

—¡Y todos lo sabrán!

No me sentía malo —bien Dios lo sabe—, pero es que uno está atado a la costumbre como el asno al ronzal.

Si mi condición de hombre me hubiera permitido perdonar, hubiera perdonado, pero el mundo es como es y el querer avanzar contra corriente no es sino vano intento.

—¡Será mejor llamarla!

—¿A la señora Engracia?

—Sí.

—¡No, por Dios! ¿Otro aborto? ¿Estar siempre pariendo por parir, criando estiércol?

Ella se arrojó contra el suelo hasta besarme los pies.

—¡Te doy mi vida entera, si me la pides!

—Para nada la quiero.

—¡Mis ojos y mi sangre, por haberte ofendido!

—Tampoco.

—¡Mis pechos, mi madeja de pelo, mis dientes! ¡Te doy lo que tú quieras; pero no me lo quites, que es por lo que estoy viva!

Lo mejor era dejarla llorar, llorar largamente, hasta caer rendida, con los nervios destrozados, pero ya más tranquila, como más razonable.

Mi madre, que la muy desgraciada debió ser la alcahueta de todo lo pasado, andaba como huida y no se presentaba ante mi vista. ¡Hiere mucho el calor de la verdad! Me hablaba las menos palabras posibles, salía por una puerta cuando yo entraba por la otra, me tenía —cosa que ni antes sucediera, ni después habría de volver a suceder— la comida preparada a las horas de ley, ¡da pena pensar que para andar en paz haya que usar del miedo!, y tal mansedumbre mostraba en todo su ademán que hasta desconcertado consiguió llegarme a tener. Con ella nunca quise hablar de lo de Lola; era un pleito entre los dos, que nada más que entre los dos habría de resolverse.

Un día la llamé, a Lola, para decirla:

—Puedes estar tranquila.

—¿Por qué?

—Porque a la señora Engracia nadie la ha de llamar.

Lola se quedó un momento pensativa, como una garza.

—Eres muy bueno, Pascual.

—Sí; mejor de lo que tú crees.

—Y mejor de lo que yo soy.

—¡No hablemos de eso! ¿Con quién fue?

—¡No lo preguntes!

—Prefiero saberlo, Lola.

—Pero a mí me da miedo decírtelo.

—¿Miedo?

—Sí; de que lo mates.

—¿Tanto lo quieres?

—No lo quiero.

—¿Entonces?

—Es que la sangre parece como el abono de tu vida...

Aquellas palabras se me quedaron grabadas en la cabeza como con fuego, y como con fuego grabadas conmigo morirán.

—¿Y si te jurase que nada pasará?

—No te creería.

—¿Por qué?

—Porque no puede ser, Pascual, ¡eres muy hombre!

—Gracias a Dios; pero aún tengo palabra.

Lola se echó en mis brazos.

—Daría años de mi vida porque nada hubiera pasado.

—Te creo.

—¡Y porque tú me perdonases!

—Te perdono, Lola. Pero me vas a decir...

—Sí.

Estaba pálida como nunca, desencajada; su cara daba miedo, un miedo horrible de que la desgracia llegara con mi retorno; la cogí la cabeza, la acaricié, la hablé con más cariño que el que usara jamás el esposo más fiel; la mimé contra mi hombro, comprensivo de lo mucho que sufría, como temeroso de verla desfallecer a mi pregunta.

—¿Quién fue?

—¡El Estirao!

—¿El Estirao?

Lola no contestó.

Estaba muerta, con la cabeza caída sobre el pecho y el pelo sobre la cara... Quedó un momento en equilibrio, sentada donde estaba, para caer al pronto contra el suelo de la cocina, todo de guijarrillos muy pisados...

16

Un nido de alacranes se revolvió en mi pecho y, en cada gota de sangre de mis venas una víbora me mordía la carne.

Salí a buscar al asesino de mi mujer, al deshonrador de mi hermana, al hombre que más hiel llevó a mis pechos; me costó trabajo encontrarlo de huido como andaba. El bribón tuvo noticia de mi llegada, puso tierra por medio y en cuatro meses no volvió a aparecer por Almendralejo; yo salí en su captura, fui a casa de la Nieves, vi a la Rosario... ¡Cómo había cambiado! Estaba aviejada, con la cara llena de arrugas prematuras, con las ojeras negras y el pelo lacio; daba pena mirarla, con lo hermosa que fuera.

—¿Qué vienes a buscar?

—¡Vengo a buscar un hombre!

—Poco hombre es quien escapa del enemigo.

—Poco...

—Y poco hombre es quien no aguarda una visita que se espera.

—Poco... ¿Dónde está?

—No sé; ayer salió.

—¿Para dónde salió?

—No lo sé.

—¿No lo sabes?

—No.

—¿Estás segura?

—Tan segura como que ahora es de día.

Parecía ser cierto lo que decía; la Rosario me demostró su cariño cuando volvió a la casa, para cuidarme, dejando al Estirao.

—¿Sabes si fue muy lejos?

—Nada me dijo.

No hubo más solución que soterrar el genio; pagar con infelices la furia que guardamos para los ruines, nunca fue cosa de hombres.

—¿Sabías lo que pasaba?

—Sí.

—¿Y tan callado lo tenías?

—¿A quién lo había de decir?

—No, a nadie...

En realidad, verdad era que a nadie había tenido a quien decírselo; hay cosas que no a todos interesan, cosas que son para llevarlas a cuestas uno solo, como una cruz de martirio, y callárselas a los demás. A la gente no se le puede decir todo lo que nos pasa, porque en la mayoría de los casos no nos sabrían ni entender.

La Rosa se vino conmigo.

—No quiero estar aquí ni un solo día más; estoy cansada.

Y volvió para casa, tímida y como sobrecogida, humilde y trabajadora como jamás la había visto; me cuidaba con un regalo que nunca llegué —y, ¡ay!, lo que es peor—, nunca llegaré a agradecérselo bastante. Me tenía siempre preparada una camisa limpia, me administraba los cuartos con la mejor de las haciendas, me guardaba la comida caliente si es que me retrasaba... ¡Daba gusto vivir así! Los días pasaban suaves como plumas; las noches tranquilas como en un convento, y los pensamientos funestos —que en otro tiempo tanto me persiguieran— parecían como querer remitir. ¡Qué lejanos me parecían los días azarosos de La Coruña! ¡Qué perdido en el recuerdo se me aparecía a veces el tiempo de las puñaladas! La memoria de Lola, que tan profunda brecha dejara en mi corazón, se iba cerrando y los tiempos pasados iban siendo, poco a poco, olvidados, hasta que la mala estrella, esa mala estrella que parecía como empeñada en perseguirme, quiso resucitarlos para mi mal.

Fue en la taberna de Martinete; me lo dijo el señorito Sebastián.

—¿Has visto al Estirao?

—No, ¿por qué?

—Nada; porque dicen que anda por el pueblo.

—¿Por el pueblo?

—Eso dicen.

—¡No me querrás engañar!

—¡Hombre, no te pongas así; como me lo dijeron, te lo digo! ¿Por qué te había de engañar?

Me faltó tiempo para ver lo que había de cierto en sus palabras. Salí corriendo para mi casa; iba como una centella, sin mirar ni dónde pisaba. Me encontré a mi madre en la puerta.

—¿Y la Rosario?

—Ahí dentro está.

—¿Sola?

—Sí, ¿por qué?

Ni contesté; pasé a la cocina y allí me la encontré, removiendo el puchero.

—¿Y el Estirao?

La Rosario pareció como sobresaltarse; levantó la cabeza y con calma, por lo menos por fuera, me soltó:

—¿Por qué me lo preguntas?

—Porque está en el pueblo.

—¿En el pueblo?

—Eso me han dicho.

—Pues por aquí no ha arrimado.

—¿Estás segura?

—¡Te lo juro!

No hacía falta que me lo jurase; era verdad, aún no había llegado, aunque había de llegar al poco rato, jaque como un rey de espadas, flamenco como un faraón.

Se encontró con la puerta guardada por mi madre.

—¿Está Pascual?

—¿Para qué le quieres?

—Para nada; para hablar de un asunto.

—¿De un asunto?

—Sí; de un asunto que tenemos entre los dos.

—Pasa. Ahí lo tienes en la cocina.

El Estirao entró sin descubrirse, silbando una copla.

—¡Hola, Pascual!

—¡Hola, Paco! Descúbrete, que estás en una casa.

El Estirao se descubrió.

—¡Si tú lo quieres!

Quería aparentar calma y serenidad, pero no acababa de conseguirlo; se le notaba nerviosillo y como azarado.

—¡Hola, Rosario!

—¡Hola, Paco!

Mi hermana le sonrió con una sonrisa cobarde que me repugnó; el hombre también sonreía, pero su boca al sonreír parecía como si hubiera perdido la color.

—¿Sabes a lo que vengo?

—Tú dirás.

—¡A llevarme a la Rosario!

—Ya me lo figuraba. Estirao, a la Rosario no te la llevas tú.

—¿Que no me la llevo?

—No.

—¿Quién lo habrá de impedir?

—Yo.

—¿Tú?

—Sí, yo, ¿o es que te parezco poca cosa?

—No mucha...

En aquel momento estaba frío como un lagarto y bien pude medir todo el alcance de mis actos. Me tenté la ropa, medí las distancias y, sin dejarle seguir con la palabra para que no pasase lo de la vez anterior, le di tan fuerte golpe con una banqueta en medio de la cara que lo tiré de espaldas y como muerto contra la campana de la chimenea. Trató de incorporarse, desenvainó el cuchillo, y en su faz se veían unos fuegos que espantaban; tenía los huesos de la espalda quebrados y no podía moverse. Lo cogí, lo puse orilla de la carretera, y le dejé.

—Estirao, has matado a mi mujer...

—¡Que era una zorra!

—Que sería lo que fuese, pero tú la has matado. Has deshonrado a mi hermana..

—¡Bien deshonrada estaba cuando yo la cogí!

—¡Deshonrada estaría, pero tú la has hundido! ¿Quieres callarte ya? Me has buscado las vueltas hasta que me encontraste; yo no he querido herirte, yo no quise quebrarte el costillar...

—¡Que sanará algún día, y ese día!

—¿Ese día, qué?

—¡Te pegaré dos tiros igual que a un perro rabioso!

—¡Repara en que te tengo a mi voluntad!

—¡No sabrás tú matarme!

—¿Que no sabré matarte?

—No.

—¿Por qué lo dices? ¡Muy seguro te sientes!

—¡Porque aún no nació el hombre!

Estaba bravo el mozo.

—¿Te quieres marchar ya?

—¡Ya me iré cuando quiera!

—¡Que va a ser ahora mismo!

—¡Devuélveme a la Rosario!

—¡No quiero!

—¡Devuélmela, que te mato!

—¡Menos matar! ¡Ya vas bien con lo que llevas!

—¿No me la quieres dar?

—¡No!

El Estirao, haciendo un esfuerzo supremo, intentó echarme a un lado.

Lo sujeté del cuello y lo hundí contra el suelo.

—¡Échate fuera!

—¡No quiero!

Forcejeamos, lo derribé, y con una rodilla en el pecho le hice la confesión:

—No te mato porque se lo prometí...

—¿A quién?

—A Lola.

—¿Entonces, me quería?

Era demasiada chulería. Pisé un poco más fuerte... La carne del pecho hacía el mismo ruido que si estuviera en el asador... Empezó a arrojar sangre por la boca. Cuando me levanté, se le fue la cabeza —sin fuerza— para un lado...

17

Tres años me tuvieron encerrado, tres años lentos, largos como la amargura, que si al principio creí que nunca pasarían, después pensé que habían sido un sueño; tres años trabajando, día a día, en el taller de zapatero del penal; tomando, en los recreos, el sol en el patio, ese sol que tanto agradecía; viendo pasar las horas con el alma anhelante, las horas cuya cuenta —para mi mal— suspendió antes de tiempo mi buen comportamiento.

Da pena pensar que las pocas veces que en esta vida se me ocurrió no portarme demasiado mal, esa fatalidad, esa mala estrella que, como ya más atrás le dije, parece como complacerse en acompañarme, torció y dispuso las cosas de forma tal que la bondad no acabó para servir a mi alma para maldita la cosa. Peor aún: no sólo para nada sirvió sino que a fuerza de desviarse y de degenerar siempre a algún mal peor me hubo de conducir. Si me hubiera portado mal hubiera estado en Chinchilla los veintiocho años que me salieron; me hubiera podrido vivo como todos los presos, me hubiera aburrido hasta enloquecer, hubiera desesperado, hubiera maldecido de todo lo divino, me hubiera acabado por envenenar del todo, pero allí estaría, purgando lo cometido, libre de nuevos delitos de sangre, preso y cautivo —bien es verdad—, pero con la cabeza tan segura sobre mis hombros como al nacer, libre de toda culpa, si no es el pecado original; si me hubiera portado ni fu ni fa, como todos sobre poco más o menos, los veintiocho años se hubieran convertido en catorce o dieciséis, mi madre se hubiera muerto de muerte natural para cuando yo consiguiese la libertad, mi hermana Rosario habría perdido ya su juventud, con su juventud su belleza, y con su belleza su peligro, y yo —este pobre yo, este desgraciado derrotado que tan poca compasión en usted y en la sociedad es capaz de provocar— hubiera salido manso como una oveja, suave como una manta, y alejado probablemente del peligro de una nueva caída. A estas horas estaría quién sabe si viviendo tranquilo, en cualquier lugar, dedicado a algún trabajo que me diera para comer, tratando de olvidar lo pasado para no mirar más que para lo por venir; a lo mejor lo había conseguido ya... Pero me porté lo mejor que pude, puse buena cara al mal tiempo, cumplí excediéndome lo que se me ordenaba, logré enternecer a la justicia, conseguí los buenos informes del director..., y me soltaron; me abrieron las puertas; me dejaron indefenso ante todo lo malo. Me dijeron:

—Has cumplido, Pascual; vuelve a la lucha, vuelve a la vida, vuelve a aguantar a todos, a hablar con todos, a rozarte otra vez con todos.

Y creyendo que me hacían un favor, me hundieron para siempre.

Estas filosofías no se me habían ocurrido de la primera vez que este capítulo —y los dos que siguen— escribí; pero me los robaron (todavía no me he explicado por qué me los quisieron quitar), aunque a usted le parezca tan extraño que no me lo crea, y entristecido por un lado con esta maldad sin justificación que tanto dolor me causa, y ahogado en la repetición, por la otra banda, que me fuerza el recuerdo y me decanta las ideas, a la pluma me vinieron y, como no considero penitencia el contrariarme las voluntades, que bastantes penitencias para la flaqueza de mi espíritu, ya que no para mis muchas culpas, tengo con lo que tengo, ahí las dejo, frescas como me salieron, para que usted las considere como le venga en gana.

Cuando salí encontré al campo más triste, mucho más triste, de lo que me había figurado. En los pensamientos que me daban cuando estaba preso, me lo imaginaba —vaya usted a saber por qué— verde y lozano como las praderas, fértil y hermoso como los campos de trigo, con los campesinos dedicados afanosamente a su labor, trabajando alegres de sol a sol, cantando, con la bota de vino a la vera y la cabeza vacía de malas ocurrencias, para encontrarlo a la salida yermo y agostado como los cementerios, deshabitado y solo como una ermita lugareña al siguiente día de la patrona...

Chinchilla es un pueblo ruin, como todos los manchegos, agobiado como por una honda pena, gris y macilento como todos los poblados donde la gente no asoma los hocicos al tiempo, y en ella no estuve sino el tiempo justo que necesité para tomar el tren que me había de devolver al pueblo, a mi casa, a mi familia; al pueblo que volvería a encontrar otra vez en el mismo sitio, a mi casa que resplandecía al sol como una joya, a mi familia que me esperaría para más lejos, que no se imaginaría que pronto habría de estar con ellos, a mi madre que en tres años a lo mejor Dios había querido suavizar, a mi hermana, a mi querida y santa hermana, que saltaría de gozo al verme.

El tren tardó en llegar, tardó muchas horas. Extraño estoy de que un hombre que tenía en el cuerpo tantas horas de espera notase con impaciencia tal un retraso de hora más, hora menos, pero lo cierto es que así ocurría, que me impacientaba, que me descomponía el aguardar como si algún importante negocio me comiese los tiempos. Anduve por la estación, fui a la cantina, paseé por un campo que había contiguo... Nada; el tren no llegaba, el tren no asomaba todavía, lejano como aún andaba por el retraso. Me acordaba del penal, que se veía allá lejos, por detrás del edificio de la estación; parecía desierto, pero estaba lleno hasta los bordes, guardador de un montón de desgraciados con cuyas vidas se podían llenar tantos cientos de páginas como ellos eran. Me acordaba del director, de la última vez que le vi; era un viejecito calvo, con un bigote cano, y unos ojos azules como el cielo; se llamaba don Conrado. Yo le quería como a un padre, le estaba agradecido de las muchas palabras de consuelo que —en tantas ocasiones— para mí tuviera. La última vez que le vi fue en su despacho, adonde me mandó llamar.

—¿Da su permiso, don Conrado?

—Pasa, hijo.

Su voz estaba ya cascada por los años y por los achaques, y cuando nos llamaba hijos parecía como si se le enterneciera más todavía, como si le temblara al pasar por los labios. Me mandó sentar al otro lado de la mesa; me alargó la tabaquera, grande, de piel de cabra; sacó un librito de papel de fumar que me ofreció también.

—¿Un pitillo?

—Gracias, don Conrado.

Don Conrado se rió.

—Para hablar contigo lo mejor es mucho humo. ¡Así se te ve menos esa cara tan fea que tienes!

Soltó la carcajada, una carcajada que al final se mezcló con un golpe de tos, con un golpe de tos que le duró hasta sofocarlo, hasta dejarlo abotargado y rojo como un tomate. Echó mano de un cajón y sacó dos copas y una botella de coñac. Yo me sobresalté; siempre me había tratado bien —cierto es—, pero nunca como aquel día.

—¿Qué pasa, don Conrado?

—Nada, hijo, nada... ¡Anda, bebe..., por tu libertad!

Volvió a acometerle la tos. Yo iba a preguntar:

—¿Por mi libertad?

Pero él me hacía señas con la mano para que no dijese nada. Esta vez pasó al revés; fue en risa en lo que acabó la tos.

—Sí. ¡Todos los pillos tenéis suerte!

Y se reía, gozoso de poder darme la noticia, contento de poder ponerme de patas en la calle. ¡Pobre don Conrado, qué bueno era! ¡Si él supiera que lo mejor que podría pasarme era no salir de allí! Cuando volví a Chinchilla, a aquella casa, me lo confesó con lágrimas en los ojos, en aquellos ojos que eran sólo un poco más azules que las lágrimas.

—¡Bueno, ahora en serio! Lee...

Me puso ante la vista la orden de libertad. Yo no creía lo que estaba viendo.

—¿Lo has leído?

—Sí, señor.

Abrió una carpeta y sacó dos papeles iguales, el licenciamiento.

—Toma, para ti; con eso puedes andar por donde quieras. Firma aquí; sin echar borrones.

Doblé el papel, lo metí en la cartera... ¡Estaba libre! Lo que pasó por mí en aquel momento ni lo sabría explicar. Don Conrado se puso grave; me soltó un sermón sobre la honradez y las buenas costumbres, me dio cuatro consejos sobre los impulsos que si hubiera tenido presentes me hubieran ahorrado más de un disgusto gordo, y cuando terminó, y como fin de fiesta, me entregó veinticinco pesetas en nombre de la Junta de Damas Regeneradoras de los Presos, institución benéfica que estaba formada en Madrid para acudir en nuestro auxilio.

Tocó un timbre y vino un oficial de prisiones. Don Conrado me alargó la mano.

—Adiós, hijo. ¡Qué Dios te guarde!

Yo no cabía en mí de gozo. Se volvió hacia el oficial.

—Muñoz, acompañe a este señor hasta la puerta. Llévelo antes a la administración; va socorrido con ocho días.

A Muñoz no lo volví a ver en los días de mi vida. A don Conrado, sí; tres años y medio más tarde.

El tren acabó por llegar; tarde o temprano todo llega en esta vida, menos el perdón de los ofendidos, que a veces parece como que disfruta en alejarse. Monté en mi departamento y después de andar dando tumbos de un lado para otro durante día y medio, di alcance a la estación del pueblo, que tan conocida me era, y en cuya vista había estado pensando durante todo el viaje. Nadie, absolutamente nadie, si no es Dios que está en las Alturas, sabía que yo llegaba, y sin embargo —no sé por qué rara manía de ideas— momento llegó a haber en que imaginaba el andén lleno de gentes jubilosas que me recibían con los brazos al aire, agitando pañuelos, voceando mi nombre a los cuatro puntos.

Cuando llegué, un frío agudo como una daga se me clavó en el corazón. En la estación no había nadie. Era de noche; el jefe, el señor Gregorio, con su farol de mecha que tenía un lado verde y otro rojo, y su banderola enfundada en su caperuza de lata, acababa de dar salida al tren. Ahora se volvería hacia mí, me reconocería, me felicitaría.

—¡Caramba, Pascual! ¡Y tú por aquí!

—Sí, señor Gregorio. ¡Libre!

—¡Vaya, vaya!

Y se dio media vuelta sin hacerme más caso. Se metió en su caseta. Yo quise gritarle:

—¡Libre, señor Gregorio! ¡Estoy libre! —porque pensé que no se había dado cuenta. Pero me quedé un momento parado y desistí de hacerlo.

La sangre se me agolpó a los oídos y las lágrimas estuvieron a pique de aparecerme en ambos ojos. Al señor Gregorio no le importaba nada mi libertad.

Salí de la estación con el fardo del equipaje al hombro, torcí por una senda que desde ella llevaba hasta la carretera donde estaba mi casa, sin necesidad de pasar por el pueblo, y empecé a caminar. Iba triste, muy triste; toda mi alegría la matara el señor Gregorio con sus tristes palabras, y un torrente de funestas ideas, de presagios desgraciados, que en vano yo trataba de ahuyentar, me atosigaban la memoria. La noche estaba clara, sin una nube, y la luna, como una hostia, allí estaba, clavada, en el medio del cielo. No quería pensar en el frío que me invadía.

Un poco más adelante, a la derecha del sendero, hacia la mitad del camino, estaba el cementerio, en el mismo sitio donde lo dejé, con la misma tapia de adobes negruzcos, con su alto ciprés que en nada había mudado, con su lechuza silbadora entre las ramas. El cementerio donde descansaba mi padre de su furia; Mario, de su inocencia; mi mujer, su abandono, y el Estirao, su mucha chulería. El cementerio donde se pudrían los restos de mis dos hijos, del abortado y de Pascualillo, que en los once meses de vida que alcanzó fuera talmente un sol...

¡Me daba resquemor llegar al pueblo, así, solo, de noche, y pasar lo primero por junto al camposanto! ¡Parecía como si la Providencia se complaciera en ponérmelo delante, en hacerlo de propósito para forzarme a caer en la meditación de lo poco que somos!

La sombra de mi cuerpo iba siempre delante, larga, muy larga, tan larga como un fantasma, muy pegada al suelo, siguiendo el terreno, ora tirando recta por el camino, ora subiéndose a la tapia del cementerio, como queriendo asomarse. Corrí un poco; la sombra corrió también. Me paré; la sombra también paró. Miré para el firmamento; no había una sola nube en todo su redor. La sombra había de acompañarme, paso a paso, hasta llegar.

Cogí miedo, un miedo inexplicable; me imaginé a los muertos saliendo en esqueleto a mirarme pasar. No me atrevía a levantar la cabeza; apreté el paso; el cuerpo parecía que no me pesaba; el cajón tampoco. En aquel momento parecía como si tuviera más fuerza que nunca. Llegó el instante en que llegué a estar al galope como un perro huido; corría, corría como un loco, como un poseído. Cuando llegué a mi casa estaba rendido; no hubiera podido dar un paso más...

Puse el bulto en el suelo y me senté sobre él. No se oía ningún ruido; Rosario y mi madre estarían, a buen seguro, durmiendo, ajenas del todo a que yo había llegado, a que yo estaba libre, a pocos pasos de ellas. ¡Quién sabe si mi hermana no habría rezado una salve —la oración que más le gustaba— en el momento de meterse en la cama, porque a mí me soltasen! ¡Quién sabe si a aquellas horas no estaría soñando, entristecida, en mi desgracia, imaginándome tumbado sobre las tablas de la celda, con la memoria puesta en ella, que fue el único afecto sincero que en mi vida tuve! Estaría a lo mejor sobresaltada, presa de una pesadilla.

Y yo estaba allí, estaba ya allí, libre, sano como una manzana, listo para volver a empezar, para consolarla, para mimarla, para recibir su sonrisa.

No sabía lo que hacer; pensé llamar... Se asustarían; nadie llama a esas horas. A lo mejor ni se atrevían a abrir; pero tampoco podía seguir allí, tampoco era posible esperar al día sentado sobre el cajón.

Por la carretera venían dos hombres conversando en voz alta; iban distraídos, como contentos; venían de Almendralejo, quién sabe si de ver a las novias. Pronto los reconocí: eran León, el hermano de Martinete, y el señorito Sebastián. Yo me escondí; no sé por qué, pero su vista me apresuraba.

Pasaron muy cerca de la casa, muy cerca de mí; su conversación era bien clara.

—Ya ves lo que a Pascual le pasó.

—Y no hizo más que lo que hubiéramos hecho cualquiera.

—Defender a la mujer.

—Claro.

—Y está en Chinchilla, a más de un día de tren, ya va para tres años...

Sentí una profunda alegría; me pasó como un rayo por la imaginación la idea de salir, de presentarme ante ellos, de darles un abrazo..., pero preferí no hacerlo; en la cárcel me hicieron más calmoso, me quitaron impulsos.

Esperé a que se alejaran. Cuando calculé verlos ya suficientemente lejos, salí de la cuneta y fui a la puerta. Allí estaba el cajón; no lo habían visto. Si lo hubieran visto se hubieran acercado, y yo hubiera tenido que salir a explicarles, y se hubieran creído que me ocultaba, que los huía.

No quise pensarlo más; me acerqué hasta la puerta y di dos golpes sobre ella. Nadie me respondió; esperé unos minutos. Nada. Volví a golpearla, esta vez con más fuerza. En el interior se encendió un candil.

—¡Quién!

—¡Soy yo!

—¿Quién?

Era la voz de mi madre. Sentí alegría al oírla, para qué mentir.

—Yo, Pascual.

—¿Pascual?

—Sí, madre. ¡Pascual!

Abrió la puerta; a la luz del candil parecía una bruja.

—¿Qué quieres?

—¿Que qué quiero?

—Sí.

—Entrar. ¿Qué voy a querer?

Estaba extraña. ¿Por qué me trataría así?

—¿Qué le pasa a usted, madre?

—Nada, ¿por qué?

—No, ¡como la veía como parada!

Estoy por asegurar que mi madre hubiera preferido no verme. Los odios de otros tiempos parecían como querer volver a hacer presa en mí. Yo trataba de ahuyentarlos, de echarlos a un lado.

—¿Y la Rosario?

—Se fue.

—¿Se fue?

—Sí.

—¿A dónde?

—A Almendralejo.

—¿Otra vez?

—Otra vez.

—¿Liada?

—Sí.

—¿Con quién?

—¿A ti qué más te da?

Parecía como si el mundo quisiera caerme sobre la cabeza. No veía claro; pensé si no estaría soñando. Estuvimos los dos un corto rato callados.

—¿Y por qué se fue?

—¡Ya ves!

—¿No quería esperarme?

—No sabía que habías de venir. Estaba siempre hablando de ti...

¡Pobre Rosario, qué vida de desgracia llevaba con lo buena que era!

—¿Os faltó de comer?

—A veces.

—¿Y se marchó por eso?

—¡Quién sabe!

Volvimos a callar.

—¿La ves?

—Sí; viene con frecuencia. ¡Como él está también aquí!

—¿Él?

—Sí.

—¿Quién es?

—El señorito Sebastián.

Creí morir. Hubiera dado dinero por haberme visto todavía en el penal.

18

La Rosario fue a verme en cuanto se enteró de mi vuelta.

—Ayer supe que habías vuelto. ¡No sabes lo que me alegré!

¡Cómo me gustaba oír sus palabras!

—Sí, lo sé, Rosario; me lo figuro. ¡Yo también estaba deseando volverte a ver!

Parecía como si estuviéramos de cumplido, como si nos hubiéramos conocido diez minutos atrás. Los dos hacíamos esfuerzos para que la cosa saliera natural. Pregunté, por preguntar algo, al cabo de un rato:

—¿Cómo fue de marcharte otra vez?

—Ya ves.

—¿Tan apurada andabas?

—Bastante.

—¿Y no pudiste esperar?

—No quise.

Puso bronca la voz.

—No me dio la gana de pasar más calamidades...

Me lo explicaba; la pobre bastante había pasado ya.

—No hablemos de eso, Pascual.

La Rosario se sonreía con su sonrisa de siempre, esa sonrisa triste y como abatida que tienen todos los desgraciados de buen fondo.

—Pasemos a otra cosa... ¿Sabes que te tengo buscada una novia?

—¿A mí?

—Sí.

—¿Una novia?

—Sí, hombre. ¿Por qué? ¿Te extraña?

—No... Parece raro. ¿Quién me ha de querer?

—Pues cualquiera. ¿O es que no te quiero yo?

La confesión de cariño de mi hermana, aunque ya la sabía, me agradaba; su preocupación por buscarme novia, también. ¡Mire usted que es ocurrencia!

—¿Y quién es?

—La sobrina de la señora Engracia.

—¿La Esperanza?

—Sí.

—¡Guapa moza!

—Que te quiere desde antes de que te casases.

—¡Bien callado se lo tenía!

—Qué quieres, ¡cada una es como es!

—¿Y tú, qué le has dicho?

—Nada; que alguna vez habrías de volver.

—Y he vuelto...

—¡Gracias a Dios!

La novia que la Rosario me tenía preparada, en verdad que era una hermosa mujer. No era del tipo de Lola, sino más bien al contrario, algo así como un término medio entre ella y la mujer del Estévez, incluso algo parecida en el tipo —fijándose bien— al de mi hermana. Andaría por entonces por los treinta o treinta y dos años, que poco o nada se la notaban de joven y conservada como aparecía. Era muy religiosa y como dada a la mística, cosa rara por aquellas tierras, y se dejaba llevar de la vida, como los gitanos, sólo con el pensamiento puesto en aquello que siempre decía:

—¿Para qué variar? ¡Está escrito!

Vivía en el cerro con su tía, la señora Engracia, hermanastra de su difunto padre, por haberse quedado huérfana de ambas partes aún muy tierna, y como era de natural consentidor y algo tímida, jamás nadie pudiera decir que con nadie la hubiera visto u oído discutir, y mucho menos con su tía, a la que tenía un gran respeto. Era aseada como pocas, tenía la misma color de las manzanas y cuando, al poco tiempo de entonces, llegó a ser mi mujer —mi segunda mujer—, tal orden hubo de implantar en mi casa que en multitud de detalles nadie la hubiera reconocido.

La primera vez, entonces, que me la eché a la cara, la cosa no dejó de ser violenta para los dos; los dos sabíamos lo que nos íbamos a decir, los dos nos mirábamos a hurtadillas como para espiar los movimientos del otro.

Estábamos solos, pero era igual; solos llevábamos una hora y cada instante que pasaba parecía como si fuera a costar más trabajo el empezar a hablar. Fue ella quien rompió el fuego:

—Vienes más gordo.

—Puede...

—Y de semblante más claro.

—Eso dicen...

Yo hacía esfuerzos en mi interior por mostrarme amable y decidor, pero no lo conseguía; estaba como entontecido, como aplastado por un peso que me ahogaba, pero del que guardo recuerdo como una de las impresiones más agradables de mi vida, como una de las impresiones que más pena me causó el perder.

—¿Cómo es aquel terreno?

—Malo.

Ella estaba como pensativa. ¡Quién sabe lo que pensaría!

—¿Te acordaste mucho de la Lola?

—A veces. ¿Por qué mentir? Como estaba todo el día pensando, me acordaba de todos. ¡Hasta del Estirao, ya ves!

La Esperanza estaba levemente pálida.

—Me alegro de que hayas vuelto.

—Sí, Esperanza, yo también me alegro de que me hayas esperado.

—¿De que te haya esperado?

—Sí; ¿o es que no me esperabas?

—¿Quién te lo dijo?

—¡Ya ves! ¡Todo se sabe!

Le temblaba la voz y su temblor no faltó nada para que me lo contagiase.

—¿Fue la Rosario?

—Sí. ¿Qué ves de malo?

—Nada.

Las lágrimas le asomaron a los ojos.

—¿Qué habrás pensado de mí?

—¿Qué querías que pensase?

—¡Nada!

Me acerqué lentamente y la besé en las manos. Ella se dejaba besar.

—Estoy tan libre como tú, Esperanza.

....

—Tan libre como cuando tenía veinte años.

Esperanza me miraba tímidamente.

—No soy un viejo; tengo que pensar en vivir.

—Sí.

—En arreglar mi trabajo, mi casa, mi vida... ¿De verdad que me esperabas?

—Sí.

—¿Y por qué no me lo dices?

—Ya te lo dije.

Era verdad; ya me lo había dicho, pero yo gozaba en hacérselo repetir.

—Dímelo otra vez.

La Esperanza se había vuelto roja como un pimiento. La voz le salía como cortada y los labios y las aletas de la nariz le temblaban como las hojas movidas por la brisa, como el plumón del jilguero que se esponja al sol.

—Te esperaba, Pascual. Todos los días rezaba porque volvieras pronto; Dios me escuchó.

—Es cierto.

Volví a besarla las manos. Estaba como apagado. No me atrevía a besarla en la cara.

—¿Querrás.... querrás...?

—Sí.

—¿Sabías lo que iba a decir?

—Sí. No sigas.

Se volvió radiante de repente como un amanecer.

—Bésame, Pascual...

Cambió de voz, que se puso velada y como sórdida.

—¡Bastante te esperé!

La besé ardientemente, intensamente, con un cariño y con un respeto como jamás usé con mujer alguna, y tan largo, tan largo, que cuando aparté la boca el cariño más fiel había aparecido en mí.

19

Llevábamos ya dos meses casados cuando me fue dado el observar que mi madre seguía usando de las mismas mañas y de iguales malas artes que antes de que me tuvieran encerrado. Me quemaba la sangre con su ademán, siempre huraño y como despegado, con su conversación hiriente y siempre intencionada, con el tonillo de voz que usaba para hablarme, en falsete y tan fingido como toda ella. A mi mujer, aunque transigía con ella, ¡qué remedio la quedaba!, no la podía ver ni en pintura, y tan poco disimulaba su malquerer que la Esperanza, un día que estaba ya demasiado cargada, me planteó la cuestión en unas formas que pude ver que no otro arreglo sino el poner la tierra por en medio podría llegar a tener. La tierra por en medio se dice cuando dos se separan a dos pueblos distantes, pero, bien mirado, también se podría decir cuando entre el terreno en donde uno pisa y el otro duerme hay veinte pies de altura.

Muchas vueltas me dio en la cabeza la idea de la emigración; pensaba en La Coruña, o en Madrid, o bien más cerca, hacia la capital, pero el caso es que —¡quién sabe si por cobardía, por falta de decisión!— la cosa la fui aplazando, aplazando, hasta que cuando me lancé a viajar, con nadie que no fuese con mis mismas carnes, o con mi mismo recuerdo, hubiera querido poner la tierra por en medio... La tierra que no fue bastante grande para huir de mi culpa... La tierra que no tuvo largura ni anchura suficiente para hacerse la muda ante el clamor de mi propia conciencia.

Quería poner tierra entre mi sombra y yo, entre mi nombre y mi recuerdo y yo, entre mis mismos cueros y mí mismo, este mí mismo del que, de quitarle la sombra y el recuerdo, los nombres y los cueros, tan poco quedaría.

Hay ocasiones en las que más vale borrarse como un muerto, desaparecer de repente como tragado por la tierra, deshilarse en el aire como el copo de humo. Ocasiones que no se consiguen, pero que de conseguirse nos transformarían en ángeles, evitarían el que siguiéramos enfangados en el crimen y el pecado, nos liberarían de este lastre de carne contaminada del que, se lo aseguro, no volveríamos a acordarnos para nada —tal horror le tomamos— de no ser que constantemente alguien se encarga de que no nos olvidemos de él, alguien se preocupa de aventar sus escorias para herirnos los olfatos del alma. ¡Nada hiede tanto ni tan mal como la lepra que lo malo pasado deja por la conciencia, como el dolor de no salir del mal pudriéndonos ese osario de esperanzas muertas, al poco de nacer, que —¡desde hace tanto tiempo ya!— nuestra triste vida es!

La idea de la muerte llega siempre con paso de lobo, con andares de culebra, como todas las peores imaginaciones. Nunca de repente llegan las ideas que nos trastornan; lo repentino ahoga unos momentos, pero nos deja, al marchar, largos años de vida por delante. Los pensamientos que nos enloquecen con la peor de las locuras, la de la tristeza, siempre llegan poco a poco y como sin sentir, como sin sentir invade la niebla los campos, o la tisis los pechos. Avanza, fatal, incansable, pero lenta, despaciosa, regular como el pulso. Hoy no la notamos; a lo mejor mañana tampoco, ni pasado mañana, ni en un mes entero. Pero pasa ese mes y empezamos a sentir amarga la comida, como doloroso el recordar; ya estamos picados. Al correr de los días y las noches nos vamos volviendo huraños, solitarios; en nuestra cabeza se cuecen las ideas, las ideas que han de ocasionar el que nos corten la cabeza donde se cocieron, quién sabe si para que no siga trabajando tan atrozmente. Pasamos a lo mejor hasta semanas enteras sin variar; los que nos rodean se acostumbraron ya a nuestra adustez y ya ni extrañan siquiera nuestro extraño ser. Pero un día el mal crece, como los árboles, y engorda, y ya no saludamos a la gente; y vuelven a sentirnos como raros y como enamorados. Vamos enflaqueciendo, enflaqueciendo, y nuestra barba hirsuta es cada vez más lacia. Empezamos a sentir el odio que nos mata; ya no aguantamos el mirar; nos duele la conciencia, pero, ¡no importa!, ¡más vale que duela! Nos escuecen los ojos, que se llenan de un agua venenosa cuando miramos fuerte. El enemigo nota nuestro anhelo, pero está confiado; el instinto no miente. La desgracia es alegre, acogedora, y el más tierno sentir gozamos en hacerlo arrastrar sobre la plaza inmensa de vidrios que va siendo ya nuestra alma. Cuando huimos como las corzas, cuando el oído sobresalta nuestros sueños, estamos ya minados por el mal; ya no hay solución, ya no hay arreglo posible. Empezamos a caer, vertiginosamente ya, para no volvernos a levantar en vida. Quizás para levantarnos un poco a última hora, antes de caer de cabeza hasta el infierno... Mala cosa.

Mi madre sentía una insistente satisfacción en tentarme los genios, en los que el mal iba creciendo como las moscas al olor de los muertos. La bilis que tragué me envenenó el corazón y tan malos pensamientos llegaba por entonces a discurrir, que llegué a estar asustado de mi mismo coraje. No quería ni verla; los días pasaban iguales los unos a los otros, con el mismo dolor clavado en las entrañas, con los mismos presagios de tormenta nublándonos la vista.

El día que decidí hacer uso del hierro tan agobiado estaba, tan cierto de que al mal había que sangrarlo, que no sobresaltó ni un ápice mis pulsos la idea de la muerte de mi madre. Era algo fatal que había de venir y que venía, que yo había de causar y que no podía evitar aunque quisiera, porque me parecía imposible cambiar de opinión, volverme atrás, evitar lo que ahora daría una mano porque no hubiera ocurrido, pero que entonces gozaba en provocar con el mismo cálculo y la misma meditación por lo menos con los que un labrador emplearía para pensar en sus trigales.

Estaba todo bien preparado; me pasé largas noches enteras pensando en lo mismo para envalentonarme, para tomar fuerzas; afilé el cuchillo de monte, con su larga y ancha hoja que se parecía a las hojas del maíz, con su canalito que la cruzaba, con sus cachas de nácar que le daban un aire retador. Sólo faltaba entonces emplazar la fecha; y después no titubear, no volverse atrás, llegar hasta el final costase lo que costase, mantener la calma..., y luego herir, herir sin pena, rápidamente, y huir, huir muy lejos, a La Coruña, huir donde nadie pudiera saberlo, donde se me permitiera vivir en paz esperando el olvido de las gentes, el olvido que me dejase volver para empezar a vivir de nuevo.

La conciencia no me remordería; no habría motivo. La conciencia sólo remuerde de las injusticias cometidas: de apalear un niño, de derribar una golondrina... Pero de aquellos actos a los que nos conduce el odio, a los que vamos como adormecidos por una idea que nos obsesiona, no tenemos que arrepentirnos jamás, jamás nos remuerde la conciencia.

Fue el 10 de febrero de 1922. Cuadró en viernes aquel año, el 10 de febrero. El tiempo estaba claro como es ley que ocurriera por el país; el sol se agradecía y en la plaza me parece como recordar que hubo aquel día más niños que nunca jugando a las canicas o a las tabas. Mucho pensé en aquello, pero procuré vencerme y lo conseguí; volverme atrás hubiera sido imposible, hubiera sido fatal para mí, me hubiera conducido a la muerte, quién sabe si al suicidio. Me hubiera acabado por encontrar en el fondo del Guadiana, debajo de las ruedas del tren... No, no era posible cejar, había que continuar adelante, siempre adelante, hasta el fin. Era ya una cuestión de amor propio.

Mi mujer algo debió de notarme.

—¿Qué vas a hacer?

—Nada, ¿por qué?

—No sé; parece como si te encontrase extraño.

—¡Tonterías!

La besé, por tranquilizarla; fue el último beso que le di. ¡Qué lejos de saberlo estaba yo entonces! Si lo hubiera sabido me hubiera estremecido.

—¿Por qué me besas?

Me dejó de una pieza.

—¿Por qué no te voy a besar?

Sus palabras mucho me hicieron pensar. Parecía como si supiera todo lo que iba a ocurrir, como si estuviera ya al cabo de la calle.

El sol se puso por el mismo sitio que todos los días. Vino la noche..., cenamos..., se metieron en la cama... Yo me quedé, como siempre, jugando con el rescoldo del hogar. Hacía ya tiempo que no iba a la taberna de Martinete.

Había llegado la ocasión, la ocasión que tanto tiempo había estado esperando. Había que hacer de tripas corazón, acabar pronto, lo más pronto posible. La noche es corta y en la noche tenía que haber pasado ya todo y tenía que sorprenderme la amanecida a muchas leguas del pueblo.

Estuve escuchando un largo rato. No se oía nada. Fui al cuarto de mi mujer; estaba dormida y la dejé que siguiera durmiendo. Mi madre dormiría también a buen seguro. Volví a la cocina; me descalcé; el suelo estaba frío y las piedras del suelo se me clavaban en la punta del pie. Desenvainé el cuchillo, que brillaba a la llama como un sol.

Allí estaba, echada bajo las sábanas, con su cara muy pegada a la almohada. No tenía más que echarme sobre el cuerpo y acuchillarlo. No se movería, no daría ni un solo grito, no le daría tiempo... Estaba ya al alcance del brazo, profundamente dormida, ajena —¡Dios, qué ajenos están siempre los asesinados a su suerte!— a todo lo que le iba a pasar. Quería decidirme, pero no lo acababa de conseguir; vez hubo ya de tener el brazo levantado, para volver a dejarlo caer otra vez todo a lo largo del cuerpo.

Pensé cerrar los ojos y herir. No podía ser; herir a ciegas es como no herir, es exponerse a herir en el vacío... Había que herir con los ojos bien abiertos, con los cinco sentidos puestos en el golpe. Había que conservar la serenidad, que recobrar la serenidad que parecía ya como si estuviera empezando a perder ante la vista del cuerpo de mi madre... El tiempo pasaba y yo seguía allí, parado, inmóvil como una estatua, sin decidirme a acabar. No me atrevía; después de todo era mi madre, la mujer que me había parido, y a quien sólo por eso había que perdonar... No; no podía perdonarla porque me hubiera parido. Con echarme al mundo no me hizo ningún favor, absolutamente ninguno... No había tiempo que perder. Había que decidirse de una buena vez. Momento llegó a haber en que estaba de pie y como dormido, con el cuchillo en la mano, como la imagen del crimen... Trataba de vencerme, de recuperar mis fuerzas, de concentrarlas. Ardía en deseos de acabar pronto, rápidamente, y de salir corriendo hasta caer rendido, en cualquier lado. Estaba agotándome; llevaba una hora larga al lado de ella, como guardándola, como velando su sueño. ¡Y había ido a matarla, a eliminarla, a quitarle la vida a puñaladas!

Quizás otra hora llegara ya a pasar. No; definitivamente, no. No podía; era algo superior a mis fuerzas, algo que me revolvía la sangre. Pensé huir. A lo mejor hacía ruido al salir; se despertaría, me reconocería. No, huir tampoco podía; iba indefectiblemente camino de la ruina... No había más solución que golpear sin piedad, rápidamente, para acabar lo más pronto posible. Pero golpear tampoco podía... Estaba metido como en un lodazal donde me fuese hundiendo, poco a poco, sin remedio posible, sin salida posible. El barro me llegaba ya hasta el cuello. Iba a morir ahogado como un gato... Me era completamente imposible matar; estaba como paralítico.

Di la vuelta para marchar. El suelo crujía. Mi madre se revolvió en la cama.

—¿Quién anda ahí?

Entonces sí que ya no había solución. Me abalancé sobre ella y la sujeté. Forcejeó, se escurrió... Momento hubo en que llegó a tenerme cogido por el cuello. Gritaba como una condenada. Luchamos; fue la lucha más tremenda que usted se puede imaginar. Rugíamos como bestias, la baba nos asomaba a la boca... En una de las vueltas vi a mi mujer, blanca como una muerta, parada a la puerta sin atreverse a entrar. Traía un candil en la mano, el candil a cuya luz pude ver la cara de mi madre, morada como un hábito de nazareno... Seguíamos luchando; llegué a tener las vestiduras rasgadas, el pecho al aire. La condenada tenía más fuerzas que un demonio. Tuve que usar de toda mi hombría para tenerla quieta. Quince veces que la sujetara, quince veces que se me había de escurrir. Me arañaba, me daba patadas y puñetazos, me mordía. Hubo un momento en que con la boca me cazó un pezón —el izquierdo— y me lo arrancó de cuajo.

Fue el momento mismo en que pude clavarle la hoja en la garganta...

La sangre corría como desbocada y me golpeó la cara. Estaba caliente como un vientre y sabía lo mismo que la sangre de los corderos.

La solté y salí huyendo. Choqué con mi mujer a la salida; se le apagó el candil. Cogí el campo y corrí, corrí sin descanso, durante horas enteras. El campo estaba fresco y una sensación como de alivio me corrió las venas.

Podía respirar...

Otra nota del transcriptor

Hasta aquí las cuartillas manuscritas de Pascual Duarte. Si lo agarrotaron a renglón seguido, o si todavía tuvo tiempo de escribir más hazañas, y éstas se perdieron, es una cosa que por más que hice no he podido esclarecer.

El licenciado don Benigno Bonilla, dueño de la farmacia de Almendralejo, donde, como ya dije, encontré lo que atrás dejo transcrito, me dio toda suerte de facilidades para seguir rebuscando. A la botica le di la vuelta como un calcetín; miré hasta en los botes de porcelana, detrás de los frascos, encima —y debajo— de los armarios, en el cajón del bicarbonato... Aprendí nombres hermosos —ungüento del hijo de Zacarías, del boyero y del cochero, de pez y resina, de pan de puerco, de bayas de laurel, de la caridad, contra el pedero del ganado lanar—, tosí con la mostaza, me dieron arcadas con la valeriana, me lloraron los ojos con el amoníaco pero por más vueltas que di, y por más padrenuestros que le recé a San Antonio para que me pusiera algo a los alcances de mi mano, ese algo no debía existir porque jamás lo atopé.

Es una contrariedad no pequeña esta falta absoluta de datos de los últimos años de Pascual Duarte. Por un cálculo, no muy difícil, lo que parece evidente es que volviera de nuevo al penal de Chinchilla (de sus mismas palabras se infiere) donde debió estar hasta el año 35 o quién sabe si hasta el 36. Desde luego, parece descartado que salió de presidio antes de empezar la guerra. Sobre lo que no hay manera humana de averiguar nada es sobre su actuación durante los quince días de revolución que pasaron sobre su pueblo; si hacemos excepción del asesinato del señor González de la Riva —del que nuestro personaje fue autor convicto y confeso— nada más, absolutamente nada más, hemos podido saber de él, y aun de su crimen sabemos, cierto es, lo irreparable y evidente, pero ignoramos, porque Pascual se cerró a la banda y no dijo esta boca es mía más que cuando le dio la gana, que fue muy pocas veces, los motivos que tuvo y los impulsos que le acometieron. Quizás de haberse diferido algún tiempo su ejecución, hubiera llegado él en sus memorias hasta el punto y lo hubiera tratado con amplitud, pero lo cierto es que, como no ocurrió, la laguna que al final de sus días aparece no de otra forma que a base de cuento y de romance podría llenarse, solución que repugna a la veracidad de este libro.

La carta de Pascual Duarte a don Joaquín Barrera debió escribirla al tiempo de los capítulos XII y XIII, los dos únicos en los que empleó tinta morada, idéntica a la de la carta al citado señor, lo que viene a demostrar que Pascual no suspendió definitivamente, como decía, su relato, sino que preparó la carta con todo cálculo para que surtiese su efecto a su tiempo debido, precaución que nos presenta a nuestro personaje no tan olvidadizo ni atontado como a primera vista pareciera. Lo que está del todo claro, porque nos lo dice el cabo de la guardia civil Cesáreo Martín, que fue quien recibió el encargo, es la forma en que se dio traslado al fajo de cuartillas desde la cárcel de Badajoz hasta la casa en Mérida del señor Barrera.

En mi afán de aclarar en lo posible los últimos momentos del personaje, me dirigí en carta a don Santiago Lurueña, capellán entonces de la cárcel y hoy cura párroco de Magacela (Badajoz) y a don Cesáreo Martín, número de la guardia civil con destino en la cárcel de Badajoz entonces y hoy cabo comandante del puesto de La Vecilla (León), y personas ambas que por su oficio estuvieron cercanas al criminal cuando le tocó pagar deudas a la justicia.

He aquí las cartas:

Magacela (Badajoz), a 9 de enero de 1942

Muy distinguido señor mío y de mi mayor consideración:

Recibo en estos momentos, y con evidente retraso, su atenta carta del 18 del anterior mes de diciembre, y las 359 cuartillas escritas a máquina conteniendo las memorias del desgraciado Duarte. Me lo remite todo ello don David Freire Angulo, actual capellán de la cárcel de Badajoz, y compañero de un servidor allá en los años moceriles del seminario, en Salamanca. Quiero apaciguar el clamor de mi conciencia estampando estas palabras no más abierto el sobre, para dejar para mañana, Dios mediante, la continuación, después de haber leído, siguiendo sus instrucciones y mi curiosidad, el fajo que me acompaña.

(Sigo el 10).

Acabo de leer de una tirada, aunque —según Herodoto— no sea forma noble de lectura, las confesiones de Duarte, y no tiene usted idea de la impresión profunda que han dejado en mi espíritu, de la honda huella, del marcado surco que en mi alma produjeran. Para un servidor, que recogiera sus últimas palabras de arrepentimiento con el mismo gozo con que recogiera la más dorada mies el labrador, no deja de ser fuerte impresión la lectura de lo escrito por el hombre que quizás a la mayoría se les figure una hiena (como a mí se me figuró también cuando fui llamado a su celda), aunque al llegar al fondo de su alma se pudiese conocer que no otra cosa que un manso cordero, acorralado y asustado por la vida, pasara de ser.

Su muerte fue de ejemplar preparación y únicamente a última hora, al faltarle la presencia de ánimo, se descompuso un tanto, lo que ocasionó que el pobre sufriera con el espíritu lo que se hubiera ahorrado de tener mayor valentía.

Dispuso los negocios del alma con un aplomo y una serenidad que a mí me dejaron absorto y pronunció delante de todos, cuando llegó el momento de ser conducido al patio, un *¡Hágase la voluntad del Señor!,* que mismo nos dejara maravillados con su edificante humildad. ¡Lástima que el enemigo le robase sus últimos instantes, porque si no, a buen seguro que su muerte habría de haber sido tenida como santa! Ejemplo de todos los que la presenciamos hubo de ser (hasta que perdiera el dominio, como digo), y provechosas consecuencias para mi dulce ministerio de la cura de almas, hube de sacar de todo lo que vi. ¡Que Dios lo haya acogido en su santo seno!

Reciba, señor, la prueba del más seguro afecto en el saludo que le envía su humilde.

S. LURUEÑA, Presbítero

P. D. — Lamento no poder complacerle en lo de la fotografía, y no sé tampoco cómo decirle para que pudiera arreglarse.

Una. Y la otra.

La Vecilla (León), 12-1-42

Muy señor mío:

Acuso recibo de su atenta particular del 18 de diciembre, deseando que al presente se encuentre usted gozoso de tan buena salud como en la fecha citada. Yo, bien —a Dios gracias, sean dadas—, aunque más tieso que un palo en este clima que no es ni para desearle al más grande criminal. Y paso a informarle de lo que me pide, ya que no veo haya motivo alguno del servicio que me lo impida, ya que de haberlo usted me habría de dispensar, pero yo no podría decir ni una palabra. Del tal Pascual Duarte de que me habla ya lo creo que me recuerdo, pues fue el preso más célebre que tuvimos que guardar en mucho tiempo; de la salud de su cabeza no daría yo fe aunque me ofreciesen Eldorado, porque tales cosas hacía que a las claras atestiguaba su enfermedad. Antes de que confesase ninguna vez, todo fue bien; pero en cuanto que lo hizo la primera se conoce que le entraron escrúpulos y remordimientos y quiso purgarlos con la penitencia; el caso es que los lunes, porque si había muerto su madre, y los martes, porque si martes había sido el día que matara al señor conde de Torremejía, y los miércoles, porque si había muerto no sé quién, el caso es que el desgraciado se pasaba las medias semanas voluntariamente sin probar bocado, que tan presto se le hubieron de ir las carnes que para mí que al verdugo no demasiado trabajo debiera costarle el hacer que los dos tornillos llegaran a encontrarse en el medio del gaznate. El muy desgraciado se pasaba los días escribiendo, como poseído de la fiebre, y como no molestaba y además el director era de tierno corazón y nos tenía ordenado le aprovisionásemos de lo que fuese necesitando para seguir escribiendo, el hombre se confiaba y no cejaba ni un instante. En una ocasión me llamó, me enseñó una carta dentro de un sobre abierto (para que la lea usted, si quiere, me dijo) dirigido a don Joaquín Barrera López, en Mérida, y me dijo en un tono que nunca llegué a saber si fuera de súplica o de mandato:

—Cuando me lleven, coge usted esta carta, arregla un poco este montón de papeles, y se lo da todo a este señor. ¿Me entiende?

Y añadía después, mirándome a los ojos y poniendo tal misterio en su mirar que me sobrecogía:

—¡Dios se lo habrá de premiar..., porque yo así se lo pediré!

Yo le obedecí, porque no vi mal en ello, y porque he sido siempre respetuoso con las voluntades de los muertos.

En cuanto a su muerte, sólo he de decirle que fue completamente corriente y desgraciada y que aunque al principio se sintiera flamenco y soltase delante de todo el mundo un *¡Hágase la voluntad del Señor!,* que nos dejó como anonadados, pronto se olvidó de mantener la compostura. A la vista del patíbulo se desmayó y cuando volvió en sí, tales voces daba de que no quería morir y de que lo que hacían con él no había derecho, que hubo de ser llevado a rastras hasta el banquillo. Allí besó por última vez un crucifijo que le mostró el padre Santiago, que era el capellán de la cárcel y mismamente un santo, y terminó sus días escupiendo y pataleando, sin cuidado ninguno de los circunstantes y de la manera más ruin y más baja que un hombre puede terminar; demostrando a todos su miedo a la muerte.

Le ruego que si le es posible me envíe dos libros, en vez de uno, cuando estén impresos. El otro es para el teniente de la línea que me indica que le abonará el importe a reembolso, si es que a usted le parece bien.

Deseando haberle complacido, le saluda atentamente s. s. s. q. e. s. m.,

Cesáreo Martín

Tardé en recibir su carta y ese es el motivo de que haya tanta diferencia entre las fechas de las dos. Me fue remitida desde Badajoz y la recibí en ésta el 10, sábado, o sea antes de ayer. Vale.

¿Qué más podría yo, añadir a lo dicho por estos señores?

Madrid, enero de 1942

APÉNDICE

LA RECEPCIÓN DE LA PRIMERA EDICIÓN
DE *LA FAMILIA DE PASCUAL DUARTE*[1]

RAFAEL FERRERES, «*LA FAMILIA DE PASCUAL DUARTE,
POR CAMILO JOSÉ CELA*» (*LEVANTE*, 11-II-1943)

Con esta novela que el joven escritor Camilo José Cela incorpora, indudablemente, a la tradición novelística española, aparece, o mejor, reaparece una escuela ya un poco alejada de nosotros. Un poco alejada porque siempre lo que tiene vitalidad y valor, aunque pase de moda, aunque se supere, va como meta subterránea, incluida en las modernas direcciones. En *La familia de Pascual Duarte,* más que una obra afiliada o influida poderosamente a las novelas de Pío Baroja, como cree un crítico que la ha enjuiciado, pensamos más bien estar frente a la novela naturalista francesa y de sus consecuencias en España: Benito Pérez Galdós, Vicente Blasco Ibáñez, Emilia Pardo Bazán. El situar la acción de esta novela en un ambiente provinciano, rural, la emparentaron con la gran escritora gallega y todavía más con las de Blasco Ibáñez de su primera

---

[1]   Del amplio abanico de reseñas y comentarios que mereció la novela he elegido siete textos significativos. El curioso lector puede obtener una noticia fiel de la recepción de la primera edición de *La familia de Pascual Duarte.*

época, es decir, las de tema valenciano: *La barraca, Cañas y barro…*

Técnicamente, pocas observaciones se pueden poner. Camilo José Cela sabe conducir con maestría el lenguaje. En muchos momentos, las formaciones dialectales de Extremadura usadas por Cela adquieren un matiz de ambientación local considerable. Se percibe claramente que el autor, antes de escribir este libro, se ha posesionado de lo necesario para que su novela, desde este punto de vista, no resulte falsa, sino todo lo contrario: de puro verismo. La manera cómo va desarrollando el tema, también es acertada. Su estilo es directo. Apenas encontramos detención en momentos que en otro escritor se prestarían para largos parlamentos. En esto Camilo José Cela se aparta de los escritores anteriores a él. Divaga muchísimo menos que cualquier novelista español, incluyendo Baroja. Este como impresionismo literario es virtud cuando se tiene la sabiduría o intuición necesaria para encontrar su secreto: cuando no se llega a él, entonces todo se convierte en confuso y extraño. Camilo José Cela es rápido y preciso y sabe dar brevemente las pinceladas necesarias para lograr lo que se propone.

Donde nos desconcierta esta novela es en la historia que nos narra Pascual Duarte de él y de su familia. Después de haberla leído con suma atención y cuidado —tal vez por esto tuvimos que suspender en algunos momentos su lectura, porque ante tanta brutalidad, en ocasiones nuestra sensibilidad se resistía—, hemos recordado a aquel infortunado don Álvaro del Duque de Rivas, que fue un desgraciado juguete de la «fuerza del sino». El sentido de falso que nos produce el drama de don Ángel Saavedra no está del todo ausente en este libro. Sí puede ocurrir todo lo que cuentan el Duque de Rivas o Camilo José Cela, pero… ¡debe ser tan raro! Hay tanta desgracia acumulada en el personaje y tan poca luz y alegría, que nos pone en guardia. Pascual Duarte podía repetir aquella romántica y floja quintilla de Bécquer:

Mi vida es un erial,
flor que toco se deshoja,
que en mi camino fatal
alguien va sembrando el mal
para que yo lo recoja.

Sólo calamidades encontramos: una familia casi, o sin casi, infrahumana: un padre borracho, que muere rabioso; una madre íntegramente malvada, en todos los aspectos posibles de imaginar; un hermanito que muere pequeño aún, ahogado en una tinaja de aceite, siendo tonto desde su nacimiento y habiéndosele comido las orejas, en un momento de descuido, unos cerdos que por delante de su casa pasaban. La hermana, a pesar de su fondo bondadoso y de ternura, va rodando por esos mundos de Dios y en manos —¡y qué manos!— de un chulo que la explota desconsideradamente; en fin, los amores intensos, casi bestiales, pero muy humanos, de Pascual Duarte, nacen sobre la fosa de su hermanillo, aun tierna y blanda de lo reciente. Sus ilusiones de paternidad fallan repetidamente. No hay ningún vislumbre de sonrisa en la vida de este hombre. Aparte de las muertes que comete durante la época roja, manda al otro mundo al chulo de su hermana que tuvo amores con su mujer y a su propia madre, incapaz de poderla aguantar más.

En toda esta truculenta evolución del argumento, del que sólo hemos dado una enumeración de desastres están bien de manifiesto las condiciones de gran novelista que posee Camilo José Cela. En un libro no muy extenso —cerca de doscientas páginas de letra no pequeña—, es difícil, muy difícil, poder encajar todo lo que hemos dicho, y que no resulte molesto e inartístico. La virtud del autor está, precisamente, en la habilidad con que ha sabido presentarlo, distribuirlo, y que sólo después de leído, al recuento y meditación de lo que ha pasado por nuestros ojos, percibimos su exageración. No imaginamos que si Camilo José Cela pone su indudable talento novelístico en otros asuntos menos terribles, puede darnos una

gran novela en la que no quepan «peros» que oponer. Don Pío
Baroja, después de alabar *La familia de Pascual Duarte,* ha dicho que le parece demasiado bronca. Sí, estamos de acuerdo
con el autor de *Vidas sombrías;* nos parece un poco bronca y
desorbitada. Pero, a pesar de todo, es una magnífica revelación, no de novela, sino de novelista. Camilo José Cela es joven y cabe esperar de él un gran escritor. Este primer tanteo
que comentamos, así nos lo pronostica.

Ha sido editada por «Aldecoa».

VÍCTOR RUIZ IRIARTE, «PRIMERA NOVELA»
(*JUVENTUD,* 25-II-1943)

Una tarde mustia de verano Camilo José Cela y yo hablábamos reclinados en el *pelouche* rojo del viejo café. Un café
que aún conserva sus primeros espejos, su greca de paisajes
mal pintados y cuadritos de florecillas feas y pálidas como de
papel: sus columnas blancas y candorosas, su escalerita de ca-
racol con colgadura de terciopelo, sus palomillas doradas del
tiempo en que hubo luz de gas, y sus rincones con tufo de
disputa electoral o madrigal de petimetre enamorado. Un café
con piano y violín donde, a veces, el violinista viejecillo y se-
midormido toca, para ancianas solteras y jubilados repollu-
dos, romanzas sentimentales con brío y empuje de cancán...
Camilo José y yo hablábamos de los malos escritores —de
los malos escritores se habla muchísimo más que de los
otros—, de una novela buena y del mar en la playa de La Coruña. De pronto Cela se irguió y me contó una historia terri-
ble que pensaba novelar en poco tiempo. Y me lanzó un título: *La familia de Pascual Duarte.* Han transcurrido unos
meses, y aquí está la fábula prometida con su endemoniada e
insólita fragancia.

Fábula viril, dramática y tremolante, escrita en prosa bien
galana, son estos «últimos papeles» de Pascual Duarte que el
autor «encontró», entre tarros de ungüentos y milagrerías, en

la botica de Almendralejo, tan garbosamente descrita en el prefacio de la novela. Pascual Duarte, difícil protagonista, trágico transeúnte por los campos de Extremadura, ejecutado en la cárcel, «redactor» de sus memorias en el calabozo como un reo de alto estilo, arrepentido y confeso, pedigüeño de un poco de ternura, ¿no es, en realidad, el antihéroe, héroe al fin de un romance popular que pueden cantar los ciegos y que luego venderá el lazarillo golfo por unos céntimos impreso en papeles blancos, azules o amarillos? Porque *La familia de Pascual Duarte* es una novela del mal: es la historia de unas gentes malditas, nacidas, quizá, bajo el estigma de un destino de abracadabra. Camilo José Cela nos historia la vida de los Duarte en una novela romántica —romántica no obstante ser su libro un relato de ordenación perfectamente clásica—, con el ímpetu de un buscador del bien, con la arrogancia de cualquier ochocentista, predicador o dómine, para quien la perfección es como el amor para el clásico apetito de belleza. Y, además, con el rigor de fidelidad de un buen recuerdo. Cela anduvo, años atrás, entre legionarios, por estos campos de Extremadura: conoció de cerca estos lugares aldeanos llenos de esa gracia adusta y violenta que el novelista pinta con minuciosidad casi azoriniana, en el primer capítulo del relato; pisó estos zaguanes enlosados con guijarrillos, tuvo cerca, seguramente, a alguno de estos hombres, gentes de figón o de burdel que desfilan por las páginas de *Pascual Duarte*. Ha cumplido el novelista —este gran novelista que hay en Camilo José Cela— la orden imperiosa y auténtica de «ver y contar». Y su envío es un grabado realista, violento, crudo, pero romántico siempre, bien lejos —¡por Dios!— del candor de un dibujo británico de Scout o de la fantasía adolescente y llena de humo de los bojes de Leffen; realizado, en cambio, con el pulso fuerte y el grueso punzón de un aguafuerte de Castro Gil, con energía brava de gallego, con la furia de un esperpento valleinclanesco... Todo ello con una técnica novelística sencilla —demasiado primitiva quizá— y la artesanía de una prosa rezumante de lecturas clásicas, con absoluto desdén hacia los descuidos estilísticos, sobre los que el autor brinca de cuando en cuando para mostrar después párrafo de un castellano impecable, precoces e increíbles en una pluma tan joven...

El nuevo novelista es, ante todo, un enamorado de la realidad y del gozo de observarla. Como un perfecto plástico, captador perfecto de colores y formas, estima las cosas por la mayor o menor gratitud que ellas mismas devuelven al ser contempladas. No está Pascual Duarte, ni mucho menos, en la novelística que enseña del personaje su morada interior, donde el hecho es menos importante que la sonrisa o el ademán, sino en la tradición viva de la picaresca española, o de la novela aventurera y corremundos de muchos novelistas del siglo XIX. Aunque quizá el mayor encanto de este Pascual Duarte estribe en su posible ternura —fácilmente entrevista por cualquier lector poco sagaz—, que unos hombres, unas mujeres, un paisaje rural no permitieron que tuviera su gozosa eclosión llena de calor y desmayo...

Naturalmente, para nosotros, los amigos de Camilo José, conocedores del hombre y del escritor, su primera novela apenas significa otra cosa que el gentilísimo ademán de saludo con que un nuevo novelista penetra alegre y desenfadado en el mundo de las letras. Esto puede decirse, ahora cuando plumas jóvenes y maduras, en artículos y notas de crítica, han vaticinado a Cela con fácil profecía, a la vista del romance de Duarte, buenos gozos y venturas en su carrera literaria. Porque el ímpetu literario de Cela, su vocación de jardinero —digámoslo con la bella palabra que Vossler destina a los creadores—, es muy superior a esta viva y magnífica realidad de Pascual Duarte. Camilo José Cela es esa cosa solemne, robusta e importantísima que es un escritor... Delicioso y raro fenómeno que a veces aparece extrañamente entre la muchedumbre de gentes que hacen literatura. Gracia y arrogancia que Cela porta vitalmente, minuto a minuto, de la mañana a la noche. Lo mismo ahora, dado a la verdad resonante de la creación novelística, que cuando tiempo atrás surgía ante sus amigos, embutido en su *smoking,* protestando indignadísimo de las fiestas mundanas, y de cita a cita de Rimbaud, declamaba campanudamente unos tremendos e inauditos versos propios...

PEDRO DE LORENZO, «EL RENACIMIENTO
DE LA NOVELA» (YA, 15-III-1943)

Voces turbias y desconocidas de sí declaraban, con tanta insistencia como falsedad, la incapacidad creadora de nuestra juventud. Y, sin embargo, esta generación a la que no podrá, cual a sus precedentes, silenciar la Historia, es por esencia fundacional y genesíaca. A ella se debe la salvación de España; del destino de España, de las tierras y los hombres de España. Es la que, en fin, irrumpe en el campo de las letras, con la fecunda síntesis de dialéctica junto a coraje, para renovar ahora la novelística agotada, hace medio siglo largo, hasta el punto de llegarse a admitir la desaparición del género. La revelación simultánea de dos novelistas vigorosos —Pedro Álvarez y Camilo José Cela— tiene un rotundo valor representativo. Y este fenómeno historicoliterario, cargado de sentido, es el que me sugiere un esquema de las figuras y obras que paso a considerar.

La familia de Pascual Duarte

No me sorprende que Baroja juzgue desgarrado el libro de Camilo José Cela. Acabo de leerlo y confío que su edición constituya un suceso de los que merecen reflexión atenta y singularísima. La novelística española no daba frutos legítimos desde el último tercio de XIX; privaba únicamente lo amanerado, parisino, débil y en decadencia. ¿No llegó a ser Maurois el autor de moda en 1942? En lo que va de siglo no ha surgido una obra digna de superar el arte galdosiano, y resulta simbólico en esta bronca novela que es *La familia de Pascual Duarte* su impresión tan a fines del año último, que la

ha hecho aparecer prácticamente ahora, bajo el augural cente-
nario primero del natalicio, allá en sus islas oceánicas, de don
Benito Pérez Galdós. La ocasión, si mira al pasado, coincide
con la madurez generacional del 36, que abandona el camino
de la crítica para entrar de lleno en la creación. Yo siempre
creí —bien lo sabía Eugenio Montes— que la experiencia vital recibida por mi promoción tornaríase ministerio construc-
tivo con inmensas posibilidades para la novela. Esta de la que
hablo hoy garantiza una novela, al menos en la actual juventud: Camilo José Cela, nacido en Iria Flavia en 1916, que ha
pasado hondas crisis de salud y ha vivido después intensamente; en su rostro, alongado, de facciones grandes, fulgen
los ojos con firmeza e impasibilidad.

El arte de novelar en Cela apóyase en un procedimiento rigurosamente presentativo, sea o no de corte naturalista; lo básico es la posición del autor, que se coloca al margen de sus
héroes y asiste a los desenlaces más trágicos sin dejarse vencer de piedad; y en esta impasibilidad objetiva, pavorosa, fría,
inconmovible, radica la razón de una fuerza dramática con la
que el novelista se sobrepone a sus posibles modelos rusos, tales cual Dostoyewsky o Turguenev; el matiz de color que
emana de su nervio ibérico y la calmosa intervención personal, lenta, sosegada, procúranle en todo instante un dominio
absoluto de tema y caracteres. El estilo es directo, sincero, con
frescura de imágenes realistas que logran vivo relato, en el
que los exabruptos, ingenuos y rudos, no se corrigen con puli-
dos, sino por poda; consigue así que la prosa destaque lo que
posee de juvenil, rotunda, bárbara, sobria y verdadera. La acción es en esta novela piedra sillar; construida al modo de Memorias, con escasez de reflexiones, sin literaturización ni
descripciones externas. *La familia de Pascual Duarte* es
prototipo de acción pura; acción que el novelista hace ir pro-
gresando en una evolución gradual sincronizada al tiempo
gastado en leerla y que, en casi todos los capítulos, transcurre
rápida, incluso brusca; Unamuno hubiera hallado en este libro
su novela ideal: la de desnuda y patética acción. Arquitectura

la tiene, sin firmes contornos, pero sin improvisación galdosiana; ríndese tributo constante al turbión masivo de los personajes, con sus conciencias caóticas, desordenadas, que nos provocan asco y mareos.

Poco importa aquí el asunto de la novela; lo interesante es la vía misma, la propia peripecia continua, múltiple y arrebatada; carece de brillante final, truncándose de modo súbito en un punto cualquiera. «Pensé —exclama— que lo mejor sería empezar y dejar el desenlace para cuando Dios quisiera dejarme de la mano y así lo hice; hoy, que parece que ya estoy aburrido de todos los cientos de hojas que llené con mi palabrería, suspendo definitivamente el seguir escribiendo para dejar a su imaginación la reconstrucción de lo que me quede todavía de vida...».

El cinismo, macabro a veces, con frecuencia se acerca al remordimiento; no en vano es la prosa confesional, y toda confesión encierra, si un pecado, también aneja penitencia. La grandeza anárquica y amoral de los caracteres, la talla vigorosa de estas vidas sombrías, ásperas, anormales, nos recuerdan al género picaresco; como en él, emergen paisajes concretísimos, sobre los que se copia un clima familiar tarado, atávico, en proceso de ruina inevitable. Los nonocentistas —Miró— no hacen novelas, sino ambientes de novela; pero ambientes físicos, no el metafísico, humano, entrañado, cordial y campesino que sentimos hoy; el campesino, más que de campo, de vida agria y montaraz. Por eso el gran extrovertido que es Pascual Duarte lo noto sumirse en un vitalismo irracional que le maneja con el brío superior de la inconsciencia. La filosofía de la desaparición de lo real —Nietzsche, Heidegger— envuelve al novelista mismo y le trueca en creador de tipos primarios, donde la estructura instintiva de su alma elemental ha de caer cual víctima propiciatoria y sin remedio. «Yo, señor, no soy malo», grita Pascual Duarte en la línea primera con que abre sus Memorias. «El destino se complace en variarnos como si fuésemos de cera... Hay mucha diferencia entre adornarse las carnes con arrebol y colonia y hacerlo con tatuajes que después nadie ha de borrar ya...».

Lo biológico, que brinca en imágenes mecanicistas como ésta: «Mi corazón, esa máquina que fabrica la sangre que alguna puñalada ha de verter», va eliminando una a una las resistencias morales; se anula la voluntad; la sensibilidad, embotada, sólo permite cavilaciones de acento desgarrador: «Se mata sin pensar, bien probado lo tengo; a veces, sin querer». El temple de la aldea —¡ay, retablo de lo rijoso, de crímenes y miseria!— sufre el pasmo de la gran ciudad, a cuyos hombres menosprecia, reparando, con orgullo, que si «los hombres del campo tuvieran las tragaderas de los de las poblaciones, los presidios estarían deshabitados como islas…». Porque en el trasfondo de su ser palpita la petición de hallarse muy hombre, hombre del coraje que le imbuye un crudo complejo de superioridad.

Pascual Duarte sufre la ley de herencia de una familia primitiva, zoónica, y al no encontrarse el ángel que domara a su bestia, se ve indefenso ante el mal, que en ocasiones le aterra con un miedo fisiológico: ha pasado la vida matando, ¡y no ha aprendido a morir! Cuando obtiene una noche la libertad, camina junto al cementerio y llega a empavorecerle, ya que no la del alma, la sombra de su propio cuerpo: finando sus días en el patíbulo —por lo que un testigo cuenta—, «de la manera más ruin y más baja que un hombre puede terminar: demostrando a todos su miedo a la muerte».

La hondura dramática tensa, cortante, desolada, trágica, aparece desde la dedicación de las Memorias al «Conde de Torremejía, quien al irlo a rematar el autor de este escrito, le llamó Pascualillo y sonreía». A la técnica estéril que saca la entraña, la carne y hueso de los personajes, a menudo subrogados por muñecos, opone Cela esta primera obra vitalista y vertebrada por vigorosa nerviación, en la que la sangre deviene a constituir el abono de la vida. Fallos, en léxico y estilística, los trae, sin duda, el autor, pero insensibles en relación a la magnitud positiva de sus aportaciones. Yo estimo que no debe juzgársele hoy sin cierta cautela, y con cuidado precisamente de las nuevas maravillas, en género y forma, con que puede en breve asombrarnos.

RAFAEL VÁZQUEZ ZAMORA, *LA FAMILIA
DE PASCUAL DUARTE* (*DESTINO*, 20-III-1943)

Esta novela ha sido muy comentada en los medios literarios madrileños. Por eso emprendí su lectura prescindiendo de ajenas opiniones. Y, realmente, es una gran novela. Algo que destaca con relieve muy marcado entre nuestra producción actual. Pascual Duarte es un hombre inculto que hace desde la cárcel, poco antes de ser ajusticiado, la sangrienta y tenebrosa historia de su vida. Cela nos dice en un prólogo que se ha limitado a «transcribir» el manuscrito del criminal. Sólo corrigió la ortografía, afirma. Y esto es lo sorprendente en el libro: conserva todo él un tono en que lo *literario* se oculta hábilmente —sólo algunos inevitables escapes— y parece como si nos hablase directamente Pascual Duarte. Hay en estas páginas escenas de una tremenda intensidad realista, pero nos las presenta el autor a través de un invisible barniz artístico que las hace perfectamente tolerables. Duarte tiene que contarnos cosas atroces, mientras añora la libertad perdida —los trozos que lo presentan en su celda son excelentes—; nos habla de su hermanito idiota, a quien «un guarro» (con perdón) comió las orejas y que murió ahogado en una tinaja de aceite; nos cuenta sus amores y sus odios, y estos odios se concretan en uno monstruoso —pero psicológicamente motivado a lo largo de la novela— que le llevará al más horrible de los crímenes; nos habla de un mundo sucio y cruel que *bloquea* —permítaseme esta palabra— a las almas nacidas, como la de Pascual, para ser buenas; nos dibuja, al clarobscuro, con su pluma pretendidamente tosca, una serie de personajes que tejieron la vida de él. Las memorias de Duarte son la inocente protesta de un muñeco contra el destino que le hizo protagonista de una tragedia.

En la novela encontramos muchas observaciones de gran fuerza expresiva sobre personas y cosas, y en toda ella late la tensa voluntad del novelista por lograr un relato sobrio, teñido de una amargura *agradable,* y empleando un estilo realista que, sin eludir las palabras más gráficas, recuerda al lector que un magnífico escritor lleva la mano a Pascual Duarte mientras éste escribe. Además, el criminal extremeño tenía momentos en que aspiraba a lo bueno y a lo bello, y esto hace entrar en el tétrico ambiente de sus memorias unas ráfagas de aire puro.

Camilo José Cela no ha escrito una novela rural, como se dice con insistencia al hablar de su libro, sino la novela de un hombre que al contarnos su vida sombría quisiera convertirla así en tinta, en ficción, y conseguir que, además de perdonársela, lo admiremos. La novela rural es un género literario, y Pascual Duarte pertenece a una especie muy poco rural; la de los seres que analizan sus actos. Este contraste dota al libro de Cela de un curiosísimo sabor.

MIGUEL VILLALONGA, «CARTA ABIERTA»
(*BALEARES*, 24-IV-1943) Y (*SOLIDARIDAD NACIONAL*, 2-V-1943)

Sr. Don Camilo José Cela,
Claudio Coello.
Madrid.

Mi distinguido amigo: Recibo y agradezco mucho su obra *La familia de Pascual Duarte*. He pasado una noche horrible leyéndola, admirado y enfurecido, a la luz de un velón de aceite. Mis elogios no pueden decir nada que usted no sepa y merezca. Siendo inteligente (y si no lo fuese, no hubiera usted escrito una obra de tan alta cualidad), sabrá usted apreciar el valor de su producción literaria. Y comprenderá que la justa furia de mis reparos contra ella aumenten en razón directa de sus aciertos, valores enormes y excepcionales. Hoy que todos, lectores y autores, hemos llegado a creer en la sinceridad de nuestra abominación por la novela, surge usted, todo importuno, con el despilfarro de la suya tan perfecta como desagradable.

¿Qué se ha propuesto usted con ello? ¿A qué pretende obligarnos la monstruosa genialidad de su Pascual Duarte?

¿Quiere hacernos perder la fe, esperanza y caridad de nuestras impaciencias literarias? Hace ya tiempo que perdimos estas nobles virtudes. ¿Tan opulenta le parece a usted la belleza de nuestra novelística actual para afearla con rudezas de Céline, escenarios de Carco y patologías cerebrales de Dostoyewsky? Se ha dicho —y se dice todavía— que en Arte, los temas no son buenos ni malos en sí, y que lo interesante es la manera de realizarlos. Y tras mucho barajar los enanos de Velázquez con las brujas de Goya, el estúpido apotegma nos está retrocediendo a la bobada liberal de que todas las creencias son ciertas, siempre que sean sinceras. Una vez recaídos en estas insensateces finales, ya sólo faltará que algún ingenio de café las rubrique con alejandrina picardía:

> —Tous les genres sont bons
> sauf le genre ennuyeux.

En los comienzos del cinematógrafo, los personajes no sabían andar. Se desplazaban dando saltitos mecánicos, todos arrítmicos y deshumanizados. Después, cuando el progreso de la técnica humanizó tan inhumanas andaduras, los personajes cinematográficos anduvieron bien y demasiado. Y tanto (sólo por andar, anduvieron), que con exhumar sus primitivos pasitrotes le dio «Charlot» peculiaridad (y aun dijeron que filosofía) a las bufonadas de su farsa.

En las novelas primerizas suele ocurrir algo parecido: contienen, a veces, muy justas descripciones y excelentes análisis psicológicos, amenizados por diálogos ingeniosos. Todo ello, naturalmente, al servicio de una egolatría juvenil e insoportable. Pero si a dichas novelas les sobran condiciones visibles, les falta, en cambio, aquella tercera dimensión del tiempo, cuya presencia no se advierte y en cuya ausencia no hay posibilidad de novela. Dimensión tan difícil de fijar, que no pocos autores de fama llegan a la senectud sin haber logrado introducirla en sus novelas. De ahí la boga del soslayo decimonono y arrítmico que fueron las series o conjuntos de cuadros coloridos costumbristas con ínfulas y matute de novela. De ahí también los balbuceos dadaístas, consecutivos a la guerra del 14. De unos cuadros a otros vimos —y vemos— saltar hechos unos gorriones mecánicos, a muchos prestigios literarios e ignorantes de la Geometría y del ridículo.

¡Y pensar que usted, en su primera novela, superó tan dificultosas dificultades para enmarcar en ellas a ese repulsivo Pascual Duarte!

*

¡Bien muerto sea en garrote vil, su protagonista! No debió pasar de siniestro fantoche en algunas marionetas espeluznantes de feria castellana. Y usted ha hecho de él un ser humano; y del Guignol, me lo trasladó al patíbulo. Ha sido usted el cruel Pigmalión de sus monigotes y de sus lectores.

*

Los demás obstáculos que acumula usted en su novela[2] los salta con tal agilidad y limpieza, que ahuyentan en el lector o espectador la admiración por sus riesgos y fatigas. Así toreaba Joselito.

Su novela es de una prodigalidad temeraria con agravantes de imprudencia precipitada. Si lanza usted el do de pecho entre bastidores, ¿qué reserva usted para la caída del telón?

Olvídese usted de ese horrible Pascual Duarte y de su no menos horrible contorno; y escriba la novela que tienen el derecho de exigirle sus admiradores y enfurecidos devotos. Entre los cuales tiene el honor de considerarse éste su afmo. amigo y lector.

---

[2]   Señalaré sólo el de escribir unas «Memorias» poniendo la primera persona en un rústico semiloco y parricida. Y lograr en el relato una perfecta naturalidad de estilo sin recurrir a las haches aspiradas y demás retóricas alpargatas de los «pastores poetas», a estilo Vicente Medina o Gabriel y Galán.

Rafael Santos Torroella,
«Pascual Duarte» (Lazarillo, V-1943)

No estamos de acuerdo con que sea un pícaro como nuestro Lazarillo. Bien es verdad que ambos pueden tener de común el no ser en el fondo casi nunca dueños de sus actos, sin que esto quiera decir que sean unos irresponsables. Interviene junto a ellos ese otro personaje invisible, de tragedia antigua, harto olvidado desde que en la humanidad ha creído sentirse cada uno de por sí centro invulnerable de la Naturaleza. Pero claro es, no todos los destinos son iguales ni tan siquiera semejantes. Puede engañarnos ese común denominador de criaturas desvalidas, víctimas propiciatorias de contrarios azares; pero son como dos senderos, entre los innumerables del mundo, perdiéndose uno entre márgenes estrechos de espinos agresivos, de cardos hostiles y retamas amargas, y el otro por vericuetos y recodos más frecuentados que a veces pueden llevar hasta el camino real o hasta el descansadero agradecido y trajinante del mesón.

Pero para Pascual Duarte no existen, en su atormentado vivir, concesiones ni paliativos. Hasta esa misma sangre fraternal envilecida, donde él parece buscar ciegamente un calor entrañable que embride sus impulsos, le encenderá más en crueles acicates, vendrá a darle un nuevo empujón arrastrándole hasta hundirle en la tierra movediza, con sangre y lodo amasada, que le absorbe. Lo que en el pícaro es forcejeo a la buena de Dios con el ambiente que le rodea —gentes, instituciones, etc.— en el que hay de todo para todos, en Pascual Duarte es lucha a brazo partido, sin respiro ni tregua, en circunstancias de bajeza pertinaz que engarfiándole el corazón y los redaños le atenazan y dominan.

No es extraño que haya suscitado comentarios tan dispares. El mismo Camilo José Cela los recoge en un artículo: para unos nada hay en Pascual Duarte de alegre, limpio y honesto; para otros existe en él todo lo contrario, una moralidad acabada. Nosotros hemos recogido juicios de disparidad seme-

jante: unos nos han dicho que es un malvado feroz, una naturaleza perversa cuya sola posibilidad de existencia debiera si-
lenciarse; otros, en cambio, han sentido una infinita piedad
por el pobre hombre, de buen corazón a pesar de sus reinci-
dencias homicidas, que han creído ver en Pascual Duarte. Y la
disparidad de opiniones la hemos visto trasladarse también al
terreno literario: para algunos es una obra de mérito excepcio-
nal, para otros carece de las más elementales cualidades para
ser tenida en cuenta; sin que falten, naturalmente, los prudentes o los desganados que aventuraran, todo lo más, un criterio
equidistante.

No creo que Camilo José Cela deba hacerse el conocido ra-
zonamiento del principiante o principianta, en cosos taurinos
o en lides coreográficas: «Me discuten, eso es bueno: señal de
que algo ven en mí que no les deja fríos, que tiene su importancia…». Con la consecuencia crematística que se cae de su
peso, que a lo mejor silencian, pero que es a lo que van. Si
acaso tan sólo creo yo que el autor del *Pascual Duarte* podría vanagloriarse de haber removido un tanto lo que nos parecía en trance desesperado de perecer: el cuerpo desahuciado
de la novela española. Bueno o malo el libro, alma de Dios o
criminal su protagonista, una cosa cuando menos es evidente:
que ni el último sea especie de vagabundo que toque con sor-
dina, ni el primero insípido manjar para ser presentado con el
acompañamiento de papel de confitería al uso, o con la fili-
grana tan en boga que nos recuerda los mejores empaquetados
de la Tabacalera.

En *Pascual Duarte* hay un girón de vida desgarrada, sangriento y doloroso, por el que gotea a veces un extraño dulzor
como de miel libada en la flor de venenosos embúdeles. Y es
verdad sin duda que todos nos hemos sentido un tanto impre-
sionados, titubeantes, ante ese choque que la misma dedicatoria nos adelanta: «que cuando lo iba a rematar me llamaba Pascualillo y sonreía». Es esa encrucijada de la perversión y la
bondad que habremos encontrado tal vez en el recodo de ternura de la mujer envilecida o en las últimas confesiones del

ajusticiado divulgadas por los periódicos: esa línea múltiple y quebrada que se da en la vida, sin la cual no habría de todo en la viña del Señor ni, claro es, serían posibles tampoco las creaciones literarias, la tragedia, el drama o la novela.

MELCHOR FERNÁNDEZ ALMAGRO, «*LA FAMILIA DE PASCUAL DUARTE*, POR CAMILO JOSÉ CELA» *(ABC,* 15-VI-1943)

Hace mucho tiempo que no suscita entre nosotros un libro de autor nuevo, tantos, diversos y aún contradictorios comentarios como está acaeciendo con *La familia de Pascual Duarte,* novela de Camilo José Cela. La honda impresión causada por esta obra —guste o no guste, porque ésta es ya otra cuestión— se nos ofrece plenamente justificada, pues no olvidemos que, por razones varias, la historia de las Letras registra éxitos que con un criterio algo exigente no podrían ser aceptados. Sería curioso a este respecto trazar la línea que marcase los triunfos literarios más resonantes, en relación con la de ciertas ideas, sentimientos o intuiciones de alcance general, y hallaríamos, casi matemáticamente, un expresivo paralelismo. Pero he aquí un tema cuyo desarrollo nos apartaría de la razón que concretamente nos mueve a glosar el triunfo que, por modo inequívoco, ha obtenido *La familia de Pascual Duarte.*

Guste o no guste, acabamos de decir, haciendo una salvedad respecto a la patente importancia de la novela de Camilo José Cela. Porque la estética a que responde la obra, en su concepto y en su factura desagradará a muchos y hasta repugnará a no pocos. Dijérase que la estética de Camilo José Cela es una «contra-estética» o, por lo menos, una especie totalmente ajena al ámbito natural. Y, sin embargo… En todas las literaturas del mundo, comenzando por la nuestra, existe, en mayor o menor cuantía, un cierto «feísmo», como dijo alguna vez Juan Ramón Jiménez, y quien no lo perciba al primer golpe de vista, que fije su atención, por ejemplo, en nuestra clásica novela picaresca, donde tanto abunda lo feo, lo desagradable, lo repelente, lo monstruoso. Uno de los milagros que puede realizar precisamente la expresión literaria consiste en la salvación de tales temas, y si relacionamos este tipo de observaciones con nuestra gran pintura, llegaremos a comprender que Quevedo o Velázquez transfiguran, por su arte tanto como por su humana intención, los modelos más contraindicados, desde el punto de vista de la belleza clásica. Pues bien, Camilo José Cela levanta su observatorio en lo más agrio y temeroso de ese paisaje, y no rehúye, antes busca, los aspectos más terribles o penosos de una baja realidad.

En la novela que comentamos hay, por lo pronto, un carácter: Pascual Duarte, que habla por sí mismo en unas confesiones cuya transcripción da cuerpo a la novela, más los documentos que completan el efecto de la traza ideada. Pascual Duarte no puede finalizar el relato que inicia en la cárcel, por la potentísima razón de que acaba su vida a manos del verdugo, en un patíbulo. «No soy malo —comienza por decir Pascual Duarte—, aunque no me faltarían motivos para serlo…» Y justamente esos motivos, estribando en un vicioso medio social, es lo que el autor nos describe en su obra, cruda pintura de un hogar aldeano, degradado no por la corrupción en que caen las costumbres de la ciudad, sino por la bárbara condición elemental de unas pasiones a que nadie impuso disciplina. Pascual Duarte respira un ambiente de absoluta degradación, que no acaba del todo, ni podía acabar, naturalmente, con su predestinación de hombre capaz de salvarse. «Después me enteré —cuenta en determinado pasaje— que D. Manuel, el cura de la aldea, había dicho de mí que era "talmente" como una rosa en un estercolero». El estercolero de esta metáfora satura con su hedor el angustioso recinto donde malviven las criaturas de Cela, y sólo muy raramente nos es dado sentir la humana fragancia de aquella rosa —relativa rosa— hundida en la basura. Y es la gracia del autor que logre, en circunstancias tan desfavorables y con materias del todo contraproducentes, efectos de poesía, de áspera, bronca, extraña poesía, como los que hallamos, verbigracia, en el episodio de las páginas 53 y 54, cuando Rosario le parece a Pascual «más hermosa que nunca, con su traje de azul como el del cielo...». O en otra escena, la amorosa de Lola y Pascual, impresionante en su silvestre pobreza. Pobre de recursos expresivos, adrede. Como pobre deliberadamente es toda la novela, en cuanto a su realización literaria. El autor quiere que la verdad, su verdad, hable por sí misma, y en este difícil alarde de observación y tasada palabra, triunfa en grado eminente.

De no poseer Camilo José Cela el talento literario de que, pese a todo, da constantes muestras, *La familia de Pascual Duarte* sería un libro que no debiera ni pudiera leerse. Tal como está realizado, y con tanta dimensión de profundidad en lo psicológico y en la interpretación de un modo de vivir, la obra augura al autor una gran talla de novelista.

ADOLFO SOTELO
Enero de 2006

AUSTRAL

IMPRESO EN BLACK PRINT CPI IBÉRICA, S. L.
C/ TORREBOVERA, S/N (ESQUINA C/ SEVILLA), NAVE 1
08740 SANT ANDREU DE LA BARCA (BARCELONA)